Fessler / Vohlbuch
Wittenberg, April 2004

D1535391

Literatur-
Nobelpreis
2002

IMRE KERTÉSZ

ESSAYS **Eine Gedankenlänge Stille,
während das
Erschießungskommando
neu lädt**

Aus dem Ungarischen von
György Buda, Géza Déreky,
Krisztina Koenen, Laszlo Kornitzer,
Christian Polzin, Kristin Schwamm,
Christina Viragh

ROWOHLT TASCHENBUCH VERLAG

Die ungarische Originalausgabe erschien 1998 unter dem Titel
«A gondolatnyi csend, amíg a kivégzőosztag újratölt»
bei Magvető, Budapest

Umschlaggestaltung: Barbara Hanke/Cordula Schmidt
Foto: G + J Fotoservice Photonica

2. Auflage Oktober 2002

Deutsche Erstausgabe
Veröffentlicht im
Rowohlt Taschenbuch Verlag GmbH,
Reinbek bei Hamburg, Oktober 1999
Copyright © 1999 by
Rowohlt Taschenbuch Verlag GmbH,
Reinbek bei Hamburg
«A gondolatnyi csend, amíg a kivégzőosztag újratölt»
Copyright © 1998 by Imre Kertész
Publikationsnachweise siehe auch im Anhang dieses Buches
Satz Aldus PostScript (PageOne)
Gesamtherstellung Clausen & Bosse, Leck
Printed in Germany
ISBN 3 499 22571 9

«Hören wir auf, nach einem Sinn zu suchen, wo keiner ist: das Jahrhundert, dieses unablässig diensttuende Erschießungskommando, bereitete sich wieder einmal auf eine Dezimierung vor, und das Schicksal wollte es, daß das Los des Zehnten auf mich fiel, das ist alles», lauteten seine letzten Worte, meine Worte natürlich.

Aus «Kaddisch für ein nicht geborenes Kind»

Inhalt

Vorwort

Unlängst bemerkte ein Bekannter im Gespräch, daß ich in meinen Essays etwas anderes sage als in meinen Romanen, und ich gebe zu, seine Beobachtung hat mich so überrascht, daß sie mir seitdem nicht mehr aus dem Kopf gegangen ist. Offen gesagt hätte ich die hier folgenden Essays über die ethische und kulturelle Bedeutung des Holocaust wahrscheinlich nie geschrieben, wenn ich nicht darum gebeten worden wäre. Und ich wäre nie darum gebeten worden, wenn nicht das andere große totalitäre Reich Europas, das mit dem Adjektiv «sozialistisch» versehen war, zusammengebrochen wäre. Es war der Ort auch meines Lebens, die Lebensform, die mich in ihrer ganzen Wirklichkeit mit einem Zustand bekannt gemacht hat, in dem das normale Dasein für illegal erklärt worden ist. Der Holocaust und der Zustand des Lebens, in dem ich über den Holocaust schrieb, sind unlösbar miteinander verknüpft. Mir ist der Holocaust nie im Imperfekt erschienen.

Gerade deshalb hat mich die Bemerkung meines Bekannten irritiert. Es gibt einen Satz von Cioran, in dem er erklärt, er habe sich vor allem mit Juden *richtig* verständigen können, da auch er sich, wie die Juden, «außerhalb der Menschheit» fühle: Nichts bringt den Zustand, in dem ich jahrzehntelang lebte, genauer zum Ausdruck.

Und wenn ich sprach, begann ich zu denen zu sprechen, zu denen ich schon längst nicht mehr gehörte. Solange ich jedoch hinter der rein künstlerischen Form verborgen blieb, die ein zwar durchschaubares, aber doch sicheres Versteck bot, erschien das nicht als Problem. Bei der Lektüre meiner essayistischen Arbeiten hingegen konnte bei meinem Bekannten der Eindruck entstehen, ich hätte die Mauer, die Auschwitz zwischen mich und die «anderen» gesetzt hat, vielleicht übersprungen. Ich hätte nicht nur eine Brücke aus dem Niemandsland zu der sogenannten Menschheit geschlagen, sondern wäre, so mag er es sehen, auf den Krücken meiner essayistischen Texte vielleicht schon über sie hinweggeschritten, das Ufer und die, zu denen ich wirklich gehöre, mein Schicksal, meine Erinnerungen, meine Toten hinter mir lassend.

Ich glaube nicht, daß mein Bekannter recht hat. Überdies ist diese Brücke nicht zu überschreiten, und wer es dennoch versuchen würde, hätte es mit seiner Kreativität zu bezahlen. Die wirkliche Frage ist, ob man meine Worte drüben, auf der anderen Seite, verstehen kann, ohne daß ich selbst über die Brücke hinübermuß. Aber schon mit dem ersten Wort, das ich rufe – beziehungsweise schreibe –, bezeuge ich, vielleicht für mich selbst überraschend, diese Hoffnung: Da liegt das Problem, und daran kann ich nichts ändern, auch dann nicht, wenn diese Hoffnung vielleicht falsch ist.

Davon möchte uns jedenfalls die Sprache überzeugen, in der ich lebe und schreibe. In dieser Sprache – die ja zugleich die Bewußtseinswelt einer Nation ist – erscheint Auschwitz in keiner Weise als Zivilisationstrauma, mit der Last seiner unabweislichen Konsequenzen. Nach vier

Jahrzehnten eines Zustandes der Rechtlosigkeit, der in der Gesellschaft vor allem die Fähigkeit zu Solidarität aufgerieben hat, erscheint der Gedanke, die traumatische Erfahrung des Holocaust könnte kulturbildend sein, als reine Illusion: «Es ist fraglich, ob dieser Gedanke, der für Kertész' eigenes Los, seine eigene Freiheit die einzige Möglichkeit darstellt, ein gemeinsamer werden kann», heißt es in einer der wenigen Rezensionen, die 1998 das Erscheinen dieser Essays in Ungarn begleiteten.[1] Doch die Frage, weshalb und unter welchen Voraussetzungen dieser Gedanke vielleicht doch ein gemeinsamer werden könnte – oder weshalb eben nicht –, stellt der Rezensent gar nicht erst. Und gewissermaßen als Antwort auf die nicht gestellte Frage lese ich im neuesten Buch von Ágnes Heller: «Wenn sich der ungarische Holocaust aus irgendeiner Logik ableiten läßt – was ich nicht glaube –, dann allein aus der Logik der deutschen Geschichte.»[2]

Demnach hatte also Ungarn mit der ungarischen Endlösung nicht viel zu schaffen, und auch die ungarischen Juden nur so viel, daß die überwiegende Mehrheit von ihnen draufging.

Derartige Interpretationen sind jedoch nur Offenbarungen von geschichtlichem Infantilismus. Heute, aus der Perspektive zweier Generationen später, kann die richtige Fragestellung keineswegs heißen, wer die historische Verantwortung für den ungarischen Holocaust trägt, sondern ob der schwerelose Zustand der Verant-

---

1 In: «Élet és írodalom» (*Leben und Literatur*), 17. Juli 1998
2 Ágnes Heller, «Költészet és gondokodás» (*Dichten und Denken*), Budapest 1998, Seite 208

wortungslosigkeit dem Land wirklich so guttut, wie die Apologeten ewiger Unschuld meinen. Wäre für das Land nicht eher zu fürchten, daß es den Faden der großen Erzählung schließlich verliert und damit in einen geistigen Raum ohne Erzählung gerät, der in der Sprache der Psychologie mit Amnesie bezeichnet wird und von dem keinerlei Erneuerung, keinerlei authentische Erkenntnis mehr hervorgeht?

Wenn ich also über die traumatische Wirkung von Auschwitz nachdenke, denke ich paradoxerweise eher über die Zukunft als die Vergangenheit nach. Erlebe ich Auschwitz als Trauma – ein Trauma, das nicht nur mein Leben, sondern das Leben an sich grundlegend verändert hat –, komme ich damit zu den Grundfragen der Vitalität und Kreativität des heutigen Menschen. Was sich durch die Endlösung und das «Konzentrationsuniversum» äußerte, ist nicht mißzuverstehen, und es ist die einzige Möglichkeit zur Erhaltung der Überlebens-, der schöpferischen Kräfte, diesen Nullpunkt zu sehen. Warum sollte dieses klare Sehen nicht fruchtbar sein? In der Tiefe der großen Erkenntnisse, auch wenn sie sich auf unverwindliche Tragödien gründen, steckt immer das Moment der Freiheit, das als ein Mehr, eine Bereicherung in unser Leben eingeht, uns der wahren Realität unserer Existenz und unserer Verantwortung für sie bewußt werden lassend.

Im übrigen halte ich die hier folgenden Texte nicht für Essays im regulären Wortsinn. Ich würde sie eher als «Annäherungen» bezeichnen – wenn es eine solche Gattung natürlich auch nicht gibt –, um damit einerseits auszudrücken, daß keiner von ihnen seinen Gegenstand ganz ausschöpft, sondern sich ihm allenfalls *nähern* kann; und zum anderen, daß sie, nur von einer anderen Seite, versuchen, sich demselben zu nähern wie meine erzählenden Texte: etwas Unnahbarem. So wird es hier und da Wiederholungen geben, Gasttexte, die aus anderen Arbeiten stammen, wie Leitmotive, die auf die manchmal für mich selbst geheimnisvolle Kohärenz von größeren Zusammenhängen, von Denk-, Sprech-, sogar Lebensweisen hinweisen. Ein bei disziplinären Studien vielleicht anfechtbares Verfahren – nicht jedoch auf dem Feld dichterischer Äußerung, zu dem ich letztlich auch dieses Buch zähle.

Budapest, September 1998   I. K.

Deutsch von Laszlo Kornitzer

Rede über das Jahrhundert

Folgen wir der These des amerikanischen Historikers John Lukács, nach der das zwanzigste Jahrhundert von 1914 bis 1989 dauerte, dann befinden wir uns dieser geschichtlichen Zeiteinteilung gemäß jetzt gerade nirgends. Bald schon wird ein anderer Historiker kommen und neue Zeitgrenzen festlegen, vorerst aber genießen wir den süßen Schlupfwinkel des Interims und das leichte, ja leichtsinnige Bewußtsein des Vorläufigen. Geistig gesehen ist das der beste Moment, einen erschütterten Nekrolog oder eine hoffnungsfrohe Begrüßungsrede zu verfassen. Wenn wir keines von beidem tun, liegt das ausschließlich daran, daß der Redner kein Historiker ist und einer ganz anderen Zeitrechnung folgt. Er ist im ersten Drittel des zwanzigsten Jahrhunderts geboren, hat Auschwitz überlebt, den Stalinismus durchlebt, als Bewohner Budapests aus unmittelbarer Nähe einen spontanen Volksaufstand und dessen Niederschlagung mit angesehen, als Schriftsteller gelernt, daß für ihn Inspiration ausschließlich aus Negativem zu schöpfen ist, und zerbricht sich nun, sechs Jahre nachdem die Sozialismus genannte russische Besetzung – und damit, historisch gesehen, das zwanzigste Jahrhundert – zu Ende gegangen ist, in dieser turbulenten Leere, die anläßlich nationaler Feierlichkeiten Freiheit und von der neuen Verfassung – gleichermaßen wie von der alten, der sozialistischen – Demokratie genannt wird, den Kopf darüber, ob seine Erfahrungen zu etwas gut sind oder ob er ganz umsonst gelebt hat.

Diejenigen, die zumindest einen der Totalitarismen dieses Jahrhunderts erlebt haben, sei es nun Nazi- oder Hammer-und-Sichel-Diktatur, werden die unabwendbaren Nöte dieses Dilemmas mit mir teilen. Denn für sie alle gab es eine Phase ihres Lebens, da sie gleichsam nicht ihr eignes Leben lebten, da sie sich in einer irgendwie unbegreiflichen Situation befanden, einer mit dem gesunden Menschenverstand kaum zu erklärenden Rolle, da sie so handelten, wie sie aus eigener Einsicht niemals gehandelt hätten, Entscheidungen trafen, die nicht die innere Ausfaltung ihres Charakters, sondern eine alptraumartige äußere Macht ihnen abnötigte, und es war eine Lebensphase, an die sie sich später nur noch undeutlich, ja, unwillig erinnerten, in der sie sich selbst nicht mehr wiedererkannten, die ihnen zwar nicht gelang zu vergessen, die sich jedoch mit der Zeit allmählich zur Anekdote verfremdete, die also – jedenfalls empfinden sie es so – nicht zum organischen Teil der Person wurde, zu einem fortsetzbaren, die Persönlichkeit weiterentwickelnden Erlebnis, mit einem Wort, die sich im Menschen einfach nicht zur Erfahrung hat verdichten wollen.

Dieses Nicht-Aufgearbeitete, ja, oft Nicht-Aufarbeit-*bare* von Erfahrungen: ich glaube, das ist die für dieses Jahrhundert charakteristische und neue Erfahrung. Als «irrational» wird es gewöhnlich bezeichnet, als seien Rationalität und Irrationalität gleichsam zwei gegensätzliche natürliche Kräfte, deren physikalische Gesetze man nur noch nicht hat ergründen können, so daß sie den

Menschen vorläufig noch nach Belieben einmal hierhin und einmal dorthin wirbeln. Wenn das neunzehnte Jahrhundert als Jahrhundert des Rationalismus bezeichnet worden ist, dann wird man das zwanzigste zweifellos eine Epoche des Irrationalismus nennen können. Was aber bedeuten diese Wörter in den Gefilden, wo sich die alltägliche Wirklichkeit abspielt, wo der spätere Stoff der sogenannten Geschichte jetzt noch als lebendiges Leben dahintreibt? Gar nichts bedeuten sie, sie erweisen sich als reine Abstraktion. Und wenn ihnen trotzdem irgendeine Bedeutung zukommt, so liegt sie nicht im Wort selbst, sondern in dem, was sich dahinter verbirgt. Angesichts eines Phänomens wie Auschwitz kommen wir mit der Logik zweifellos nicht sehr weit: Hier versagt, so scheint es, der Verstand.

Das ist wohl wahr, allerdings kommt uns diese Tatsache sozusagen wie gerufen. Denn je stärker wir seine Irrationalität betonen, desto weiter stoßen wir das Phänomen von uns weg, desto weniger werden, ja *wollen* wir es begreifen, da von ihm ja schon ausgemacht ist: es ist unbegreiflich. Rationalität und Irrationalität sind zu Worten verflacht, die längst nicht mehr sich selbst bedeuten, sie lassen vielmehr unser Wollen durchschimmern, die Entschlossenheit, mit der wir es ablehnen, das pure Faktum, den wirklichen Tatbestand, das «Ding an sich» zu begreifen. Es mag unverständlich klingen, doch das moralische Gebot lautet so, wie die dichterische Phantasie Thomas Bernhards es einen namenlosen Gelehrten formulieren läßt: «Wir müssen wenigstens den Willen zum Scheitern haben.» Und wir können den Satz weiterdenken, denn das Wort «Scheitern» bedeutet hier nicht das Scheitern irgendeines ungefähren, vor der Zeit von uns abgebrochenen Versuchs, sondern daß wir eine *existentielle Begegnung* mit der Geschichte, das heißt mit unserer Geschichte, versucht und dabei im existentiellen Sinn versagt haben. Mit anderen Worten: daß wir zumindest einmal in unserem Leben versucht haben, uns *vorzustellen*, was im zwanzigsten Jahrhundert geschehen ist, und daß wir versucht haben, uns mit dem Menschen zu identifizieren, dem all das geschah – mit uns selbst. Wenn wir in diesem Bemühen um Identifikation bis zum Äußersten gegangen sind und dort, am äußersten Punkt, bei der äußersten Anstrengung unserer Kräfte zu dem Ergebnis gelangen, daß wir immer noch nichts begreifen: dann, allein dann können wir sagen, es ist uns gelungen, etwas von dieser Zeit zu begreifen – wir haben begriffen, daß sie nicht zu begreifen ist.

Doch ziehen wir den Kreis enger, stellen wir die Frage, was ist es eigentlich, das unbegreiflich ist? Auf die Frage des Nachrichtenmagazins «Der Spiegel», was für ihn «beispiellos» und «singulär» an der nationalsozialistischen Ideologie und Praxis ist, gab Professor Ernst Nolte zur Antwort: «Daß Menschen umgebracht werden sollten, weil man in ihnen die Urheber einer verhängnisvollen geschichtlichen Entwicklung sah, und daß man das eben ohne grausame Absicht tat, so wie man Ungeziefer, dem man ja auch nicht Schmerzen bereiten will, weghaben möchte.»

Ich habe diese, nach meiner Auffassung grundfalsche, aber für die überlebende Nachwelt so charakteristische Interpretation mit Absicht ausgesucht. Nach dem Zusammenbruch des Dritten Reiches (ich spreche bewußt nicht vom Zusammenbruch des Nazismus, der ja noch heute lebt und virulent ist) war es gängige Praxis, die bolschewistischen Greueltaten mit den Verbrechen der Nazis zu verdecken, während man heute, nach dem Zusammenbruch des Sozialismus, versucht, Auschwitz durch den Gulag zu relativieren, ja zu rechtfertigen. Dieser Vortrag hat nicht zum Ziel, den Unterschied zwischen beiden auszuwalzen – und dieser Unterschied liegt auf keinen Fall in den Greultaten oder der Zahl der begangenen Morde, die zu vergleichen ohnehin sinnlos wäre –, über eines müssen wir uns jedoch im klaren sein: Kein Partei- und Staatstotalitarismus kann ohne Diskriminierung existieren, die totalitäre Form der Diskriminierung aber ist notwendigerweise der Massenmord.

Als ich vor vielen Jahren zum erstenmal den Ausdruck «Auschwitz-Lüge» vernahm, habe ich ihn mir, da ich Deutsch nicht als Muttersprache spreche, so erklärt, daß die Neonazis die Lüge verbreiten, sie beabsichtigten nicht, die Methoden von Auschwitz, die Praxis des Völkermords wiederzubeleben. Als ich dann erfuhr, daß sie Auschwitz selbst, die Tatsache der zur systematischen täglichen Arbeit gewordenen Menschenvernichtung, leugnen, war ich über alle Maßen erstaunt. Aber womit, dachte ich, wollen sie denn in den Augen ihre Anhänger dann verführerisch erscheinen? Denn Auschwitz war ja für das Naziregime keine bloße Beigabe, mit den Worten Jean Amérys: kein «Akzidens», vielmehr die «Essenz», das Wesen, ja, das Ziel, und letzten Endes – sagen wir es ganz unverhüllt – in der Negativität auch das einzig bleibende Werk, an dem es sich selbst erkennt und an dem es von anderen erkannt wird. Auschwitz steckte schon in den keineswegs harmlosen Anfängen dieses Regimes, und später war Auschwitz das große Geheimnis, der furchtbare Schatten der Lichter von Nürnberg, die unter aller Füße dampfende Gehenna, in die schließlich Völker, Nationen und eine ganze Epoche stürzten. Auschwitz – das, was wir unter diesem Ortsnamen im allgemeinen verstehen – war die Krönung der nationalsozialistischen Gegenkultur, die große Bezeugung. Das zivilisierte menschliche Zusammenleben gründet sich schließlich auf jene stillschweigende Übereinkunft, den Menschen nicht gewahr werden zu lassen, daß ihm sein nacktes Leben mehr, sogar sehr viel mehr bedeutet als alle sonst verkündeten Werte. Sobald das aber evident ist – weil er durch Terror in eine Situation gedrängt wird, in der Tag um Tag, Stunde um Stunde, Minute um Minute nichts anderes als ebendies evident wird –, können wir in Wahrheit nicht mehr von Kultur reden, weil sämtliche Werte gegenüber dem Überleben hinfällig geworden sind; ein solches Überleben hingegen ist kein kultureller Wert, einfach, weil es ein nihilistisches Existieren ist, auf *Kosten* anderer, nicht *für* andere – in kultureller und gemeinschaftlicher Hinsicht also nicht nur wertlos, sondern zwangsläufig auch destruktiv durch den Zwang des darin verborgenen Exempels. Dieses Exempel ist nichts als die Apologie des Lebens um jeden Preis, begleitet von satanischem Gelächter. Ein Massenvegetieren, das zu allgemeiner Verkommenheit, zum Mord und zum Ermordetwerden führt. Beispiellos und singulär war am Nationalsozialismus, daß man sich offiziell, sozusagen staatlicherseits, an der Verkommenheit des Menschen und der vor aller Augen betriebenen totalen Zerstörung der Wert-

ordnung ergötzte, so daß der Ausspruch eines seiner Führer, Görings, Praxis wurde: «Wenn ich das Wort Kultur
höre, entsichere ich meinen Revolver.» Nur beiläufig sei
bemerkt, daß der Bolschewismus das Phänomen Kultur
eher nebensächlich behandelte, als notwendiges Mittel
zur Ausübung seiner Macht, über dessen Wirkung er sich
vollkommen im klaren war, ohne es jedoch zur Beweis-
führung für die Relativierung der Werte zu benutzen. Die
«kulturelle Revolution» der Nationalsozialisten hingegen
war tatsächlich durchtränkt von einem perversen Haß auf
die Kultur, und wenn wir unser in glücklicheren früheren
Zeiten entstandenes Bild vom Menschen nach den Erfahrungen unserer Epoche schließlich ändern mußten, so hat
das Höllenlaboratorium der nazistischen Menschenversu-
che dabei zweifellos eine gewichtigere Rolle gespielt als
das auf die Typhusfieberphantasien utopistischer Revolutionen und die Hinterlassenschaften des Russischen Reiches gegründete bolschewistische Jammertal.

Aber lassen Sie mich nun zu der vorhin gestellten Frage
zurückkehren: Was ist es tatsächlich, was in der Geschichte des zwanzigsten Jahrhunderts unbegreiflich ist?
Schließlich ist weder die ideologische Zielsetzung und
staatliche Praxis der bolschewistischen noch die der Nazi-
Faschisten unbegreiflich zu nennen, wenn wir berücksich-
tigen, daß wir von ideologischen Zielen und diktatori-
schen Machtmitteln psychisch kranker, verbrecherischer
politischer Abenteurer und Volksverführer sprechen. Die
grausame Absurdität dieser Ideologien, mehr noch das
darauf gegründete Herrschaftssystem, die Effizienz des
totalitären Staates sind erschreckend: unbegreiflich aber
sind sie nicht, und wenn sie auch erklärungsbedürftig

sind, die Erklärung liegt, da wir im Besitz dokumentierter Fakten sind, ziemlich offen auf der Hand.

Was wir also als irrational, als unbegreiflich empfinden beziehungsweise dazu erklären, hängt nicht so sehr mit den äußeren Fakten als vielmehr mit unserer Innenwelt zusammen. Wir können und wollen und wagen es einfach nicht, uns mit der brutalen Tatsache zu konfrontieren, daß jener Tiefpunkt der Existenz, auf den der Mensch in unserem Jahrhundert zurückgefallen ist, nicht nur die eigenartige und befremdliche – «unbegreifliche» – Geschichte von ein oder zwei Generationen darstellt, sondern zugleich eine generelle Möglichkeit des Menschen, das heißt eine in einer gegebenen Konstellation auch unsere eigene Möglichkeit einschließende Erfahrungsnorm. Uns entsetzt die Leichtigkeit, mit der totalitäre diktatorische Systeme die autonome Persönlichkeit liquidieren und mit der sich der Mensch in ein genau passendes, gefügiges Teil einer dynamischen Staatsmaschinerie verwandelt. Es erfüllt mit Angst und Unsicherheit, daß in einem bestimmten Abschnitt unseres Lebens so viele Menschen oder gar wir selbst zu Wesen geworden sind, die wir später als rationale, unbeeinträchtigt empfindende, mit bürgerlicher Moral versehene Wesen nicht wiedererkennen, mit denen wir uns nicht mehr identifizieren können und wollen. Das Zusammenwirken dieser drei Faktoren ruft bei uns das Gefühl des Unbegreiflichen hervor, und «unbegreiflich» wird hier eigentlich zum Synonym für «unannehmbar». Denn wir neigen dazu, unsere apokalyptischen Erlebnisse gleichsam als tableauhafte Standbilder vor uns zu sehen, die Zeit indessen leicht zu vergessen. Das Naziregime währte zwölf, das

Sowjetregime rund siebzig Jahre. Beide Systeme, auch ihre tiefsten Höllen, haben Überlebende – von den verschiedenen Varianten dieser Systeme, den unterschiedlichen Formen von Faschismus und Sozialismus in den besetzten oder verbündeten Ländern hier gar nicht zu reden. Die Rollenunsicherheit des Überlebenden – und hier schweige ich jetzt mit Absicht vom Holocaust, dieser unüberwindlichen Erschütterung des Jahrhunderts –, die Rollenunsicherheit also des, wenn ich so sagen darf, gewöhnlichen Überlebenden rührt zu einem nicht geringen Teil daher, daß er all das, was im nachhinein als unbegreiflich angesehen wird, zur gegebenen Zeit sehr wohl begreifen mußte, denn eben das war der Preis des Überlebens. Wenn auch das *Ganze* unlogisch war, jeder Augenblick, jeder Tag erforderte eine unerbittlich exakte Logik: *der Überlebende mußte begreifen, um zu überleben*, das heißt, er mußte begreifen, was er überlebte. Denn eben das ist die große Magie, wenn man so will, das Dämonische: daß die totalitaristische Geschichte unseres Jahrhunderts von uns die ganze Existenz fordert, uns aber, nachdem wir sie ihr restlos gegeben haben, im Stich läßt, einfach weil sie sich anders, mit einer grundlegend anderen Logik fortsetzt. Und dann ist für uns nicht mehr begreiflich, daß wir auch die vorhergehende begriffen haben, das heißt, nicht die Geschichte ist unbegreiflich, sondern wir begreifen uns selbst nicht.

Ich glaube, letzten Endes geht es darum, darüber müssen wir reden. In unserer Zeit erlebt es der Mensch als Schicksal, von der Geschichte seiner autonomen Persönlichkeit beraubt zu werden, und hat er sich dann von der Totalität der Geschichte befreit, entpersönlicht er die Geschichte sozusagen kompensationshalber. Und obgleich er seine historischen Erfahrungen so aus seinem Leben ausgrenzt, genauer deren moralische und geistige Konsequenzen, geht in ihm dennoch eine tiefgreifende Veränderung vor, und es wäre umsonst, zu leugnen, daß diese Veränderungen, wie viele andere schwere Schäden, durch die Geschichte hervorgerufen worden sind. Nicht deshalb ist es nicht möglich, einen Schlußstrich unter die Vergangenheit zu ziehen, wie es heutzutage in Deutschland und auf der ganzen Welt so viele fordern, so als ob wir das nicht liebend gern täten, sondern aus einem Grund, den ein großer Historiker, Fernand Braudel, mit den Worten umriß: Ein wirklich bedeutendes historisches Ereignis läßt sich daran erkennen, daß es eine Fortsetzung hat. Doch wenn es eine Fortsetzung hat, muß es auch eine Vorgeschichte haben, und ich weiß nicht, ob die Frage, deren Beantwortung diese Vortragsreihe sich zum Ziel gesetzt hat, nämlich: was die *Ursachen* der im zwanzigsten Jahrhundert auftretenden, bis dahin nicht gekannten Erscheinungsformen von Gewalt und Destruktivität sind, nicht umgekehrt gestellt werden müßte; ob nicht vielmehr Gewalt und Destruktivität das Primäre sind, das dann seine Herrschaftsformen findet. Denn wenn die Geschichte des zwanzigsten Jahrhunderts nicht mehr wäre als ein einmaliger, sich nicht wiederholender Ausrutscher, wie fromme oder falsche Propheten uns weismachen wollen, dann hätte die große Katharsis längst einsetzen müssen; dann hätte der Mensch, das autonome und emanzipierte Individuum, schon längst seinen Anspruch angemeldet, sich Leben, Schicksal und Persönlichkeit von der Geschichte zurückzuerobern. Mich interessiert das sogenannte historisch Spezifische dieser gewissen Geschichte höchstens am Rande. Für mich ist das einzig wirklich Spezifische dieser Geschichte, daß sie *meine Geschichte* ist, daß sie *mir* passiert ist. Und vor allem, daß ich über die Bewertung des von mir Erlebten frei entscheiden kann: Es steht mir frei, es nicht zu begreifen, es steht mir frei, es als moralisches Urteil, als Ressentiment auf andere zu projizieren oder es umgekehrt zu rechtfertigen – doch es steht mir auch frei, es zu begreifen, darüber erschüttert zu sein und in dieser Erschütterung meine Befreiung zu suchen, es also zur Erfahrung zu verdichten, zu Wissen zu formen und dieses Wissen zum Inhalt meines weiteren Lebens zu machen.

Wenn nun unsere Beziehung zur Geschichte nicht existentiell ist, also nicht produktiv, dann können wir mit Recht all jene Behauptungen anzweifeln, denen zufolge die dunkelsten Kapitel der Geschichte unseres Jahrhunderts, wie beispielsweise der Nationalsozialismus, sich nicht wiederholen können. Warum sollten sie sich nicht wiederholen können? Alles, was wir gegenwärtig in Europa – und der ganzen Welt – erleben, deutet darauf hin: unsere Zivilisation, unsere Lebensform, unsere Ideale beziehungsweise der Mangel daran; die Kluft zwischen der Welt des Einzelnen und der geschichtlich-gesellschaftlichen Welt: dem Funktionieren, Produzieren, Inganghalten des Zivilisationsbetriebs, die menschliche Zerrissenheit zwischen «Seele» und «Interesse», zwischen Privatsphäre und den Bedingungen für die Erhaltung dieser Privatsphäre, die sowohl den Einzelnen als auch die Gesellschaft in eine immer schizophrener werdende Situation treiben; die Funktionslosigkeit der intel-

lektuellen Existenz, gepaart mit dem unstillbaren Ideolo-
giehunger der Intellektuellen in unserer Zeit, der zerstörerischer ist als Aids oder Rauschgift – all das und viele
andere Erscheinungen unseres phantasiearmen, geistig
verelendeten Jahrhunderts deuten darauf hin, daß eine
solche Wiederholung eher möglich ist als nicht. Wer sähe
nicht, daß die Demokratie der von ihr selbst errichteten
Wertordnung nicht mehr genügen kann oder will, daß
nirgends unverletzliche Gesetze auf neue Steintafeln gemeißelt werden und niemand Ideale errichtet, um derent-
willen es sich zu leben lohnt. Niemand zieht Grenzen,
so daß selbst die Demokratie so formbar geworden ist,
so «zerdemokratisiert», daß in ihrem Rahmen alles Platz
hat und daß sie auf die geringsten Anzeichen der Krise
mit Symptomen der Massenhysterie und des politischen
Wahnsinns reagiert, wie ein an Altersparanoia Leidender,
der nicht mehr fähig ist, auf die einfachsten Anforderun-
gen seiner Umwelt rationale Antworten zu geben. Man
will uns einreden, daß der wirtschaftliche Aufschwung
das Heil bringt und daß die Lösung in der Politik liegt, dabei sind die Probleme dieser Welt nur zum Teil wirt-
schaftlicher Natur, und politisch ist die Welt, zumindest
seit dem Zusammenbruch des letzten totalitären Reichs,
unerfaßbar und unformbar geworden, einfach, weil die
politischen Begriffe chaotisch geworden sind. Wenn ein
berühmter Historiker sagt – und ich zitiere hier wieder
aus dem erwähnten Interview mit Professor Nolte –, daß
«es eine rechte, radikale, aber demokratische, also verfas-
sungstreue Partei geben sollte», dann verwirren sich
wahrhaftig, zumindest bei mir, die politischen Begriffe.
Bislang glaubte ich, daß rechtsradikal und demokratisch

einander ausschließen. Ich glaubte, eine rechtsradikale Partei sei – ebenso wie eine linksradikale – deshalb radikal, weil sie die Macht an sich reißen will. Eine Verfassung ist deshalb natürlich trotzdem möglich; ja, wie die Praxis der osteuropäischen Länder zeigt, kann sich der totalitäre Staat in dieser Verfassung sogar zum demokratischen Staat erklären. Wir wissen auch, daß heutzutage explizit extremistische Parteien und Splittergruppen existieren, die ohne weiteres das Adjektiv «liberal» oder «republikanisch» in ihren Parteinamen setzen. Was ist das, wenn nicht die offene Infragestellung und Widerlegung politischer Vernunft, ja politischen Anstands? Doch genügt es, einmal meine eigene politische und gesellschaftliche Identität in Augenschein zu nehmen, damit ich meine Zuhörer in eine ebensolche Verwirrung bringe wie mich selbst: Ich bin Jude, doch ich kenne die jüdische Überlieferung kaum und jüdischer Nationalismus liegt mir fern; ich empfinde meine Gesinnung selbst als konservativ, doch politisch stehe ich auf der liberalen Seite; ich trete für die Demokratie ein, obgleich ich nicht an die Gleichheit der Menschen glaube, mich sträube, das Mehrheitsprinzip zu akzeptieren, und ein ausgesprochenes Grauen vor der Masse empfinde, vor der Art, wie die Masse sich lenken, in Zaum halten und unterhalten läßt, ebenso wie vor der von der Masse ausgehenden Bedrohung, welche im Grunde den höheren Idealismus der jeweils wenigen gefährdet, aus dem immer schon die menschlichen Werte hervorgingen.

Wir sehen also, daß die politischen Begriffe ihren Inhalt gleicherweise verloren haben, wie die Ideologien inzwischen völlig entleert sind. In diesem Jahrhundert sucht jeder nach seiner Identität, was von tiefer Verunsicherung der Menschen zeugt, zugleich aber auch von dem äußeren Zwang, der die Menschen in Käfige, und seien es bestenfalls goldene Käfige, zu drängen sucht, aus denen sie wie abgerichtete Hähne nur für die Zeit des Kampfes herausgelassen werden, um in der Arena gegenseitig ihre Kräfte zu messen. Nachdem das Jahrhundert zunächst als Widerstreit von Kommunismus und Kapitalismus, dann allgemein von Totalitarismus und Demokratie – von «Gut» und «Böse» – interpretiert worden ist, entdeckt man nun den Nationalismus als die wahre geschichtliche Triebkraft unserer Epoche wieder. Von neuem beschert man uns ein Wort, dem jede konkrete Bedeutung verlorengegangen ist, sofern wir die Bedeutung nicht in eben dem Prozeß suchen, wie sich ein im Grunde positiver Wortgehalt zu einem vollkommen negativen gewandelt hat. Das Nationalgefühl hat einst Revolutionen zum Entflammen gebracht, Nationalstaaten ins Leben gerufen, Dichter und Künstler inspiriert, hat sich also einmal als ein produktiver Gedanke erwiesen. Was inzwischen daraus geworden ist, wissen wir nur allzugut; aber schließlich wird ja niemand als Nationalist geboren, geboren wird der Mensch höchstens mit egoistischen und destruktiven Neigungen, die dann, wenn sie mit der Außenwelt in Berührung kommen, frustriert werden, und so entsteht der Nationalist. Nicht Lajos Kossuth, Manzoni oder George Washington ähnelt er, er ähnelt am ehesten Adolf Hitler. Und wie die neonazistischen Bewegungen bloße Wiederholung sind, stereotype, sich selbst wiederholende Aufarbeitung der unaufgearbeiteten Vergangenheit, die noch nicht einmal zur Wahrung des Scheins irgendeinen produktiven Gedanken, ein positives Element in sich trägt, ist auch Nationalismus heute weiter nichts als eine von vielen Fratzen der Destruktivität, und zwar eine ebenso widerliche wie die verschiedenen Arten von Fundamentalismen und jegliche Art von Welterlösertum.

Tatsache ist, in diesem Jahrhundert hat sich alles entlarvt, hat wenigstens einmal alles sein wahres Antlitz gezeigt, sich als das offenbart, was es eigentlich ist. Der Soldat als berufsmäßiger Mörder, die Politik als kriminelle Machenschaft, das Kapital als menschenvernichtendes, mit Leichenverbrennungsöfen gerüstetes Großunternehmen, das Recht als Spielregel fürs schmutzige Geschäft, die Weltfreiheit als Völkergefängnis, der Antisemitismus als Auschwitz, das Nationalgefühl als Völkermord. Allenthalben ist die wahre Intention durchgeschlagen, sämtliche Ideen unseres Jahrhunderts sind von der rohen Wirklichkeit, von Gewalt und Destruktivität mit Blut durchtränkt. Vielleicht ist die Lage so, wie es der größte Kenner der Seele in unserer Zeit, Franz Kafka, formuliert hat: «Das Negative zu tun, ist uns noch auferlegt; das Positive ist uns schon gegeben.»

Dieser kurze Satz eröffnet eine ungeheure Perspektive, er führt bis zur Schöpfung, zu den mystischen Anfängen des menschlichen Schicksals. Aber warum sollten wir diese Worte nicht auch geschichtlich deuten können? Ein Zeitalter ist vergangen, ein bestimmtes menschliches Verhalten erweist sich als unwiederbringlich, wie die Lebenszeit, die Jugend. Was für ein Verhalten war das? Das Staunen des Menschen über die Schöpfung, seine andächtige Verwunderung darüber, daß vergängliche Materie – der menschliche Körper – lebt und eine Seele besitzt, seine Verwunderung über das Bestehen der Welt sind vergangen und damit eigentlich die Ehrfurcht vor dem Leben, die Andacht, die Freude, die Liebe. Der Mord, der an die Stelle des früher Vorhandenen getreten ist – nicht als häufig vorkommende Unsitte, als Vergehen, als «Fall», sondern als Lebensform, als akzeptiertes und üblich gewordenes «natürliches» Verhalten gegenüber dem Leben und anderen Lebewesen – der Mord als Weltanschauung, der Mord als Verhaltensform also ist zweifellos eine grundlegende Veränderung – gleichviel, ob als Symptom einer Lebensepoche oder als Endzeitsymptom. Dagegen läßt sich anführen, daß die Menschenausrottung nicht gerade eine neue Erfindung ist; doch die *kontinuierliche*, die über Jahre, Jahrzehnte *systematisch* betriebene und so zum System gewordene Menschenausrottung, während nebenher das sogenannte normale, alltägliche Leben weiterläuft, mit Kindererziehung, Spaziergängen Verliebter, ärztlichen Sprechstunden, Karriere und sonstigen Sehnsüchten, zivilen Wünschen, dämmernder Melancholie, mit Wachstum, Erfolg oder Erfolglosigkeit usw. usw.: dies, zusammen mit der Gewöhnung, der Gewöhnung an die Angst, das Sichabfinden, das innerliche Abwinken, ja das Gelangweiltsein – das ist schon eine neue, ja die allerneueste Erfindung. Denn – und das ist das Neue daran: es ist *akzeptiert*. Es hat sich erwiesen, daß die Daseinsform des Mordens eine lebbare und mögliche Daseinsform, daß sie also *institutionalisierbar* ist. Mag sein, es ist die irdische Bestimmung des Menschen, die Erde zu zerstören, das Leben. Doch dann hat er womöglich wie Sisyphos gehandelt: Eine Zeitlang hat er sich seiner Bestimmung, seiner Aufgabe entzogen, ist dem Tod von der Schippe gesprungen und hat sich an dem ergötzt, was ihm zu zerstören auferlegt ist: am Leben. So gesehen wäre alles Außerordentliche an Form und Idee, das hervorgebracht wurde, dieser Weigerung zu verdanken; Kunst, Philosophie, Religion Produkte eines Innehaltens, eines Zauderns gegenüber der eigentlichen Aufgabe – der Zerstörung –; und dieses Zaudern erklärte die unheilbare, nostalgische Traurigkeit der wahrhaft Großen.

Vielleicht hat die Welt eines solchen Innehaltens, einer solchen in geistigem Sinn aktiven Ruhepause noch nie so sehr bedurft wie jetzt. Innehalten, um die Lage zu erfassen und die Werte neu zu formulieren – sofern die Welt dem Leben überhaupt noch einen Wert beimißt; und das wäre tatsächlich die erste Frage, die sie an sich selbst richten müßte. Denn ich bin überzeugt, daß die Ursache für die Entwertung des Lebens und den rapiden *existentiellen Verfall*, der unsere Epoche zerstört, eine tiefe Verzagtheit ist, die ihre Wurzeln in der Abwehr der historischen Erfahrung des Bruchs hat und damit des kathartischen Wissens, das daraus erwachsen kann. Es scheint, als würde der Mensch hier auf Erden nicht länger sein eigenes Schicksal leben und damit verloren haben, was er sich durch Erleiden erwirbt – um es mit König Ödipus auszudrücken: «Allen Prüfungen zum Trotz – mein vorgerücktes Alter und die Größe meiner Seele sagen mir, daß alles gut ist …»; oder, wenn ich mich auf die Bibel berufe: «Dann starb Hiob, hochbetagt und satt an Lebenstagen.» Im Gegenteil, während er anderen und sich selbst schreckliche und sinnlose Leiden und Schmerzen zufügt, glaubt der Mensch unseres Zeitalters einen unbestreitbaren Wert in einem vom Leid befreiten Leben zu finden. Nur daß das vom Leid befreite Leben zugleich auch der Wirklichkeit beraubt ist, so daß wir mit Hermann Broch fragen können: «Hat dieses verzerrte Leben noch Wirklichkeit? Hat diese hypertrophische Wirklichkeit noch Leben?» Ebenso wie die Freude (um das Glück hier gar nicht erst anzuführen) nimmt auch das Leid in unserem Zeitalter die verzerrteste, unproduktivste Form an – es wird auf die Schauplätze des Massenmords, in die Lager oder die Verhörzimmer der Geheimpolizei, in glücklicheren Gesellschaften auf die Zelluloidstreifen von sadomasochistischen Pornofilmen verbannt. Während doch vor noch nicht allzu langer Zeit das Leiden: das Erleben und Erleiden des menschlichen Schicksals, als Quelle tiefsten Wissens angesehen wurde, ohne das nichts Schöpferisches vorstellbar ist, kein menschliches Werk entstehen kann.

Ganz von selbst kommen mir historische Parallelen in den Sinn. Zeiten, die dem Menschen schwere Schläge versetzten und ihm, wie es scheint, trotzdem nicht nur Qualen, sondern zugleich die bereichernde Erfahrung irgendeiner Art von Reifung brachten. Und diese Werte steckten keineswegs im bloßen Erleben, sondern in dessen ethischen Folgen, in dem, was die Vorstellungs-, Gestaltungs- und Schöpfungskraft des Menschen aus diesen Erfahrungen heraus geschaffen hat. Das Europa von Grund auf umwälzende napoleonische Zeitalter trug beispielsweise schon sämtliche Merkmale des modernen Weltkriegs in sich: Die Zivilbevölkerung der besetzten Gebiete wurde ebenso heimgesucht von Kampfhandlungen wie von Warenmangel und Hungersnöten infolge der

Kontinentalsperre; Herrscherhäuser wurden ihrer Macht beraubt, Regime gestürzt und neue errichtet, Städte in Trümmer gelegt, Kriegsgefangene über die Landstraßen Europas getrieben, und vor Moskau erfror eine ganze Armee. Doch aus diesem chaotischen Welterlebnis erwuchs die große geistige und materielle Kultur des neunzehnten Jahrhunderts. Es bildete die Grundlage für die moderne Ausprägung, das kosmische Erleben des tragischen Menschen in jenem unvergeßlichen Bild, wie der verletzt darniederliegende Fürst Bolkonskij den Blick zum Himmel hebt. Vor kurzem stand ich beim Besuch Amsterdams in einem der Säle des Rijksmuseums plötzlich vor Rembrandts Gemälde «Die Kompanie des Frans Banning Cocq», besser bekannt unter dem Namen «Die Nachtwache». Diese aus dem Dunkel auftauchenden Gesichter, die nur so leuchten vom frohen Mut, die Welt in Besitz zu nehmen, von im wahrsten Sinne des Wortes unverhohlener Neugier, diese heiter entschlossene Gruppe, wie sie mit ihren Laternen gleich hineinleuchten wird in jede Ecke, jeden Winkel der noch unerkannt vor ihr liegenden Dunkelheit: diese Gesichter machten mir mit einem Mal bewußt, wohin der europäische Mensch gekommen ist und was er verloren hat.

Man darf mit Recht fragen, warum in unserer Zeit selbst die erfreulichen Ereignisse noch eine unheilvolle Färbung annehmen, warum sie unversehens finsterste Kräfte entfesseln und sich auch im besten Fall noch als belastende und unlösbare Probleme am Horizont auftürmen. Vor fünfzig Jahren, nach der Zerschlagung des Dritten Reiches, war die westliche Welt noch in der Lage, sich nicht allein wieder aufzurichten, sondern sogar eine politische, materielle und in gewissem Maße sogar geistige Erneuerung zu vollbringen oder doch wenigstens einen geistigen Konsens zu schaffen, der Gültigkeit zu haben schien. Jetzt, nachdem ein vierzigjähriger Kampf zur Auswirkung gekommen und auch das zweite totalitäre Reich gestürzt worden ist, dominiert das allgemeine Gefühl von Zusammenbruch, Unmut und Ohnmacht. Als wäre ganz Europa vom Katzenjammer befallen, als wäre es eines grauen Morgens aufgewacht und habe festgestellt, daß ihm anstelle von zwei *möglichen* Welten plötzlich nur noch eine *wirkliche* geblieben ist, die siegreiche, aber alternativ- und ganz sicher transzendenzlose Welt des Ökonomismus, des Kapitalismus, des ideallosen Pragmatismus, aus der es keinen Übergang mehr gibt ins – je nachdem – verfluchte oder gelobte Land. Als wäre allein mit der tatsächlichen Wirklichkeit dieses totalitären Reiches schon eine Idee zu Fall gekommen, obgleich doch beide, Reich und Idee, nie identisch waren. Das Reich *war* dieses Reich, die Idee aber ein auf das Tor eines Gefangenenlagers gemalter Rosenstrauß. Und doch ist es, als habe diese lautlose Implosion (auch «samtene Revolution» genannt) etwas in den Menschen niedergerissen, auch wenn man nicht genau weiß, was es ist: das Ethos des Widerstands, das einer Daseinsform Halt gab, oder eine Art Hoffnung, die freilich vielleicht nie wirkliche Hoffnung war, doch zweifellos ebenfalls Halt gab – jedenfalls war der Relativierung durch Vergleich ein Ende gesetzt. Und nun stehen wir siegreich, ausgeleert, erschöpft und ernüchtert da.

Oder nicht? Täuschen wir uns vielleicht? Sind wir vielleicht wieder nur einer Täuschung durch die Optik zum

Opfer gefallen, wobei die Optik in Wirklichkeit Manipulation heißt, und es hat keinerlei Sieg gegeben? Ist eine schreckliche Bedrohung von unseren Häuptern abgewendet oder sind wir nur Zeugen einer momentanen Orientierungslosigkeit der universalen Dynamik geworden, die uns bislang suggerierte, wir stünden im Kampf? Und es ist nichts weiter passiert, als daß dieser augenblickliche Leerlauf in der Bewegungsrichtung uns gewissermaßen nur im Wirrwarr des Sieges plötzlich erkennen läßt, daß wir alle in der Konformität einer größeren, Totalitarismen und Demokratien, öffentliches und privates Leben in sich einschließenden Totalität leben, die um uns herum, verstärkt durch die entfremdende Macht der Massenmedien und der Massenkultur, zu einer *ertragbaren* geworden ist. Kann es sein, daß dieses Stocken im Rhythmus uns plötzlich das dröhnende Rattern der großen Dynamik zu hören erlaubt, die uns alle zum Tanz treibt, den entfesselten Antriebsmotor, der die Welt schon seit eh und je an der Kandare hält und den Takt angibt, den wir nur mithalten oder verpassen, dem wir aber nie mehr einen anderen Rhythmus entgegensetzen, von dem wir uns nie mehr unabhängig machen oder ausgrenzen, gewissermaßen die Ohren verstopfen können?

Ich weiß es nicht. Als Schriftsteller verfüge ich nur über wenige Informationen, und schon die wenigen sind mir zuviel. Ich weiß nicht, ob die Vision einer universalen Totalität realistisch ist oder ob sie nur meiner Vorliebe für die Musik entspringt. Eine Frage jedoch stellt uns der Augenblick zweifellos: Weshalb sollten wir weiterhin kämpfen, wenn unsere Phantasie nicht genügend bewegt werden kann durch das unbestreitbar wichtige, nur nicht sonderlich farbenfrohe Ideal des pausenlosen Wachstums des Nationaleinkommens? Nur sollten wir dennoch nicht glauben, daß ein so trockener Tatbestand wie die Unterschiedlichkeit der Nationaleinkommen keinen hinreichenden Grund böte, damit sich Völker, Staaten und Kontinente gegeneinander wenden, und daß diese materielle Konfrontation dann nicht auch bald ihre verheißungsvoll farbenfrohen Ideologien zeitigte.

Ich will also nur sagen, daß wir auf das Tosen des Antriebsmotors achten sollten und lernen, es zu unterscheiden von dem alles durchdringenden, schon kaum noch auseinanderzuhaltenden Getöse unserer Welt, in dem alle Klagelaute und alle Jubelschreie der menschlichen Tragödie inzwischen echolos zu verhallen scheinen. Die Geschichte ist nicht zu Ende, im Gegenteil: sie wird den Menschen ihrer Tendenz gemäß auch weiterhin mehr und mehr in sich verschlingen und abbringen von seinem natürlichen Feld, der universalen Stätte seines Schicksals, seines Falls und seiner Erhebung, und ihm im Tausch dafür mit jedem Augenblick fortschreitendes Vergessen, vollkommene Amnesie, restloses Aufgehen in der Totalität und dem Lauf der Geschichte bieten. Sie wird das ganze Instrumentarium falscher und verfälschender Moralität zum Einsatz bringen, jede Erfindung der totalen Technik zur konformierenden Gehirnwäsche. Denn so leicht es ist, unser von apokalyptischem Geschehen berstendes Zeitalter zu verurteilen und zu verwerfen, so schwer ist es, mit ihm zu leben, ja, es mit einem tapferen Anlauf des Geistes anzunehmen und davon zu sagen: es ist *unsere* Zeit, in ihr spiegelt sich *unser* Leben. Und doch habe ich das Gefühl, der Augenblick, die Gegenwart, in der – wie im übrigen in jeder Gegenwart – die Zeit gewissermaßen stockt, fordert von uns genau diese Wahl. Vorläufig sehen wir nur die Geburtsqualen; das Jahrhundert wirft sich krank in seiner Zelle hin und her und kämpft mit sich selbst, ob es sein eigenes Dasein, seine eigene Existenzform, sein Bewußtsein akzeptieren oder verwerfen soll, und während es sich unter Qualen wälzt, wird es bald von roher Gewalt, bald von lähmendem Schuldbewußtsein ergriffen, von wütendem Aufbegehren oder von Fieberschüben depressiver Ohnmacht. Es hat kein klares Bewußtsein von seiner Existenz, kennt seine Ziele und Lebensaufgaben nicht, hat die kreative Freude, die erhabene Trauer, die Produktivität verloren – kurz: es ist unglücklich.

Ja, zu diesem Wort hat uns unser Gedankengang schließlich auch geführt, und da es schon geschehen ist, hängen wir – auch wenn wir nicht hoffen können, darauf eine völlig befriedigende Antwort zu erhalten – die Frage an, warum wir die moralische Berechtigung zum Glück verloren haben – zumindest jedoch das Gefühl haben, wir hätten sie verloren. Denn alles in allem und über alles hinaus ist dies die große Botschaft unserer Zeit, wie wir die Sache auch betrachten. Vielleicht ist es nicht so, wie Adorno sagt, daß es nach Auschwitz unmöglich geworden ist, Gedichte zu schreiben, Tatsache ist hingegen, daß – wie man sieht – nach Auschwitz Glück nicht mehr möglich ist. Und keineswegs auf Grund irgendeines abstrakten moralischen Gebots, das unserem Unterbewußtsein einflüstert, wir hätten Auschwitz wegen bis in die Ewigkeit Buße zu tun. Im Gegenteil, wir machen die Erfahrung, daß die mechanisch wiederholten Zeremonien formaler Trauerfeierlichkeiten, des öffentlichen Gedenkens eher dem institutionalisierten Vergessen als kathartischem Erinnern dienen. Wir spüren und erfahren nur einfach unsere Glücklosigkeit, und zwar nicht allein auf der hohen Ebene des Verstands und der Ethik, wo die Voraussetzungen keine andere Wahl zulassen, sondern wir spüren und erfahren es in der Tiefe der Masse und wissen nicht, handelt es sich um die Glücklosigkeit des Menschen nach Auschwitz, oder handelt es sich um die Glücklosigkeit, die zu Auschwitz geführt hat.

Ich weiß wohl, daß ich eine Frage ausbreite, über die im allgemeinen nicht gesprochen wird, weil Glück oder Glücklosigkeit des Menschen keine wissenschaftlichen Fragen sind. Geschichte, Soziologie, Ökonomie – ja, das sind Wissenschaften. Nur daß auch nicht eine von ihnen eine Antwort auf die Frage des Glücks gibt – richtiger, sie überhaupt stellt. Wahrscheinlich haben wir uns also auf ein Gebiet verirrt, das nicht nur von den Wissenschaften, sondern allmählich auch von den Dichtern geräumt worden ist. Doch der Mensch hat nicht nur eine politische und eine ökonomische Geschichte, sondern auch eine Geschichte der Ethik, und sie beginnt in allen uns bekannten Mythen mit der Erschaffung der Welt. Wenn Albert Camus rundheraus erklärt: «Das Glück ist eine Pflicht», dann meint er offenkundig, daß der Mensch Gott nur erfreuen kann, indem er glücklich ist. Wobei das von mir Gesagte natürlich metaphorisch, wenn ich so sagen darf: poetisch zu verstehen ist und nicht im konfessionellen Sinn, so wie mir der Gottesgedanke vertraut, aber jedwede Konfession fremd ist. So ist der Glücksgedanke mit dem Schöpfungsgedanken verwandt und Glück alles, nur nicht statischer Ruhezustand, die Zufriedenheit wieder-käuender Rinder. Der Glücksanspruch erlegt dem Menschen im Gegenteil wohl den schwersten inneren Kampf auf: Er muß zulassen, daß er sich nach dem Maß seiner eigenen gewaltigen Ansprüche selbst akzeptieren kann, daß das in jedem Menschen lebende Göttliche das hinfällige Individuum gleichsam zu sich emporzieht.

Doch damit es so werde, muß der Mensch zunächst zu sich selbst zurückfinden, wieder Person, Individuum werden, in jenem radikalen Sinn der Existenz, der diesem Wort eignet. Der Mensch wird nicht geboren, um als ausgemustertes Ersatzstück in der Geschichte zu verschwinden, sondern um sein Schicksal zu verstehen, seiner Vergänglichkeit ins Auge zu sehen und – jetzt werden Sie einen sehr altmodischen Ausdruck von mir hören – seine Seele zu retten. Das in einem höheren Sinne begriffene Heil des Menschen liegt außerhalb seiner geschichtlichen Existenz – jedoch nicht in der Vermeidung geschichtlicher Erfahrungen, im Gegenteil, in ihrem Erleben, ihrer Aneignung und der tragischen Identifizierung mit ihnen. Den Menschen kann einzig und allein das Wissen über die Geschichte erheben, und in Zeiten entmutigender, uns jede Hoffnung nehmender Allgegenwart totalitärer Geschichte ist das Wissen die einzig würdige Rettung, das einzige *Gut*. Und nur im Licht dieses erfahrenen Wissens können wir die Frage stellen, ob all das, was wir begangen und erlitten haben, Werte schaffen kann – genauer formuliert: ob wir unserem eigenen Leben Wert zumessen oder es wie ein an Amnesie Leidender vergessen, es womöglich wie der Selbstmörder fortwerfen? Denn der nämliche radikale Geist, der den Skandal zum Erbe menschlichen Wissens macht, die Schmach und die Schande, ist zugleich befreiender Geist, und er betreibt die restlose Enthüllung der Seuche des Nihilismus nicht, um diesen Kräften das Terrain zu überlassen, sondern im Gegenteil, weil er dadurch seine eigenen vitalen Kräfte reicher werden sieht.

Wenn ich damit zum Ende meiner Rede komme, könnte mir von Ihnen der Vorwurf gemacht werden, daß Sie nicht einen einzigen konkreten, mit Händen zu fassenden Vorschlag von mir gehört hätten. In der Tat, ich verstehe weder etwas von Politik noch von Ökonomie, noch von Verwaltungsangelegenheiten. Ich weiß nicht, auf welche Weise die Flüchtlingsfrage und die sozialen Probleme zu lösen sind und wie man sich der ärmeren Länder und ihrer kostbaren Menschen annehmen muß, und ich weiß nicht, wie ein neues System der Sicherheit geschaffen werden kann. Eines jedoch weiß ich bestimmt: Eine Zivilisation, die ihre Werte nicht deutlich erklärt oder die ihre erklärten Werte fallenläßt, geht den Weg des Verfalls, der Altersschwäche. Dann werden die Werte bald von anderen verlautbart werden, und in den Mündern dieser anderen werden es keine Werte mehr sein, sondern Vorwände zur unbeschränkten Macht und zu unbeschränkter Zerstörung. Zur Zeit ist viel von einer Art «neuer Barbarei» die Rede: Nun, vergessen wir nicht, als die Barbaren Rom überfluteten, war Rom schon von sich aus barbarisch geworden. Lassen Sie mich noch einmal zitieren, Worte des großen Theologen Rudolf Bultmann: «Je in deiner Gegenwart liegt der Sinn der Geschichte, und du kannst ihn nicht als Zuschauer sehen, sondern nur in deinen verantwortlichen Entscheidungen.»

Ja, wir sind die Gegenwart, wir sind das Schicksal und wir werden Geschichte sein. Wir leben unser Leben, wir betätigen uns, und während die Jahre vergehen, gewahren wir, daß die Welt um uns sich ändert, besser wird oder schlechter. Wir, hier in diesem Saal, streben wohl alle danach, daß sie besser werde. Wie kann unser Tun uns dennoch mit einemmal so weit entgleiten, als hätte eine Naturkraft es einfach aus unserem Besitz genommen und in die pausenlos dröhnende Mühle der allgemeinen Betriebsamkeit geworfen, durch deren Sieb das Mahlgut der Geschichte rinnt, aus dem dann unser manchmal so bitteres Brot gebacken wird? Was ist recht und was ist schlecht? Wie hat man richtig zu leben? Die Worte des großen Tschechow klingen aus der Entfernung eines Jahrhunderts in mein Ohr: «Ich weiß es nicht, auf Ehre und Gewissen, ich weiß es nicht …» Doch gewissermaßen als Echo darauf oder vielleicht als krönenden Abschluß lassen Sie mich mit einem Satz von Camus enden: «Und dabei habe ich noch nicht von der absurdesten Gestalt gesprochen: dem schöpferischen Menschen.»

Deutsch von Kristin Schwamm

Die Unvergänglichkeit der Lager

Als ich gebeten wurde, mich zu den Analogien und Unterschieden zwischen nationalsozialistischen und bolschewistischen Konzentrationslagern zu äußern, zur Schande also, zum – wie Pilinszky, mit dem Wort des Apostel Paulus, sagt – «Skandal» des 20. Jahrhunderts, sagte ich spontan, daß ich das für eine mythologische Frage halte. Und meine Meinung hat sich, obwohl seither geraume Zeit vergangen ist, nicht geändert.

Ich weiß, dieses Thema ist unerschöpflich, unsere Zeit und unser aller Geduld hingegen begrenzt; ich bin also um Kürze bemüht, auch wenn sie zu einer gewissen Skizzenhaftigkeit zwingt. Zunächst, auf welcher Grundlage soll der Vergleich beziehungsweise die Unterscheidung vor sich gehen? Es ist offenkundig, daß die Verbannung aus der menschlichen Existenz, daß Qualen, Hunger, Zwangsarbeit, Foltertod in Recsk[1] nicht anders waren als in Dachau und daß sich Kolima in dieser Hinsicht nicht von Mauthausen unterschied. Kann es darum gehen abzuwägen, wo die Brotrationen kleiner waren, in Ravensbrück oder irgendeinem Lager des Archipel Gulag? Ob die Sadismusexperten bei der Gestapo in der Prinz-Albrecht-Straße oder die im Lubljanka-Gefängnis von

---

1 Stalinistisches Zwangsarbeitslager in Ungarn

Moskau ihr Folterhandwerk besser verstanden? Das wäre eine obzwar traurige, jedoch fruchtlose Debatte. Müssen wir also auf der Grundlage des Rechts ein Urteil über das Universum der Lager fällen? Haben wir darüber zu befinden, wo wer mehr zu Unrecht gelitten hat? Obwohl wir doch genau wissen, daß all dies jenseits von Recht und Gerechtigkeit liegt; von Scheinprozessen wie etwa denen Gábor Péters[1] einmal ganz abgesehen, zeigen selbst die Urteile von Nürnberg und der Frankfurter Auschwitz-Prozeß, daß die Welt der Opfer und der Henker und damit auch das schreckliche Urteil weit außerhalb der Gerichtssäle liegt. Oder sollen wir die Frage, wie es so schön heißt, dem Urteil der Geschichte überlassen? Doch wenn wir ehrlich sind, hat sich die Geschichtsbetrachtung – jedenfalls bis jetzt – als wenig geeignet erwiesen, Erklärungen zu liefern, mehr noch, diese mit biblischen oder volkssprachlichen Begriffen, mit amtlichen Decknamen, vornehmlich aber mit bloßen Ortsnamen belegten Ereignisse überhaupt zu *fassen*. Natürlich sind die von der Geschichte angehäuften Fakten wichtig, doch sie bleiben bloße Ermittlungsdatei, wenn die Geschichte sich dieser Fakten nicht zu bemächtigen vermag. Und wir sehen, daß sie dazu nicht fähig ist, vielleicht, weil sie nicht über ein allgemeines Ordnungsprinzip, sagen wir es ruhig: eine Philosophie, verfügt. Das letzte geschichtsphilosophische – also nicht philosophiekritische, sondern affirmativ geschichtsphilosophische – Wort prägte vielleicht Hegel, als er schrieb, daß die Geschichte Bild und Tat der Vernunft

1 Gábor Péter, 1947–1953 Leiter des Budapester Staatssicherheitsdienstes (AVO).

sei. Heute läßt sich leicht darüber lachen (freilich mit Tränen in den Augen), aber es ist nicht zu leugnen, daß der im 18. Jahrhundert geprägte Mythos der Vernunft der letzte produktive europäische Großmythos war, dessen Verschwinden oder – mit einem dem Thema angemesseneren Ausdruck – dessen Verrauchen uns mit dem Fluch seelischer und geistiger Verwaisung belud.

Seit wir durch Nietzsche wissen, daß Gott tot ist, stellt sich die schwierige Frage, wer – von der computerisierten behördlichen Überwachung abgesehen – den Menschen im Auge hat; direkt gesagt, *in wessen Angesicht wir leben*, wem der Mensch Rechenschaft schuldet, im ethischen und, man möge mir verzeihen, sehr wohl auch *transzendentalen* Sinne des Wortes. Der Mensch ist nämlich ein dialogisches Wesen, er redet ununterbrochen, und das, was er sagt, was er *aussagt*, seine Klage, sein Leid, ist nicht nur als Schilderung, sondern auch als Zeugnis gedacht, und er will insgeheim – «unterbewußt» –, daß dieses Zeugnis zu einem Wert und der Wert zu einer gesetzbildenden geistigen Kraft werde. Albert Camus sagt in «Der Mensch in der Revolte» – und ich glaube, er zitiert selbst einen anderen, vermutlich Shelley –: Die Dichter sind die Gesetzgeber der Welt. Ich glaube, irgendwo da muß unser Ansatzpunkt sein. Es stimmt zwar, daß die Dichter – und dieses Wort müssen wir sehr weit fassen, als kreative Phantasie im allgemeinen – das Gesetz nicht *geben*, wie Verfassungsrechtler im Parlament, doch sie sind es, die dem Gesetz *gehorchen*, jenem Gesetz, das noch immer als Gesetz in der Welt wirkt und die Geschichten, auch die große Menschen-Geschichte schafft und formt. Der Dichter ist es, der niemals gegen dies Gesetz verstoßen darf, weil sein Werk sonst unglaubwürdig, das heißt einfach schlecht wird. Dieses ungreifbare und gleichwohl am stärksten wirksame Gesetz, das nicht nur unseren Geist lenkt, sondern das wir selbst mit unserem täglichen Leben unaufhörlich nähren, da es sonst nicht existieren würde, möchte ich jetzt, ratlos und in Ermangelung eines besseren, mit einem von Thomas Mann entliehenen Ausdruck einfach den *Geist der Erzählung* nennen. Er entscheidet, was und wie etwas in den Mythos eingeht, was einen bleibenden Platz im Geschichtsfundus einer Zivilisation erhält, obgleich das so oft gern die Ideologen entscheiden würden. Aber es gelingt ihnen nicht, jedenfalls nicht so, wie sie es möchten. Über den Mythos entscheidet etwas anderes, irgendein geheimer und gemeinschaftlicher Beschluß, der offenbar echte seelische Motive und Bedürfnisse widerspiegelt und in dem die Wahrheit hervortritt. Sie stecken den Horizont unseres täglichen Lebens ab, diese – letzten Endes – von Gut und Böse handelnden Geschichten, und unsere von diesem Horizont umschlossene Welt ist durchdrungen vom nie versiegenden Geflüster über Gut und Böse. Ich wage die kühne Behauptung, daß wir in einem gewissem Sinne und auf einer gewissen Ebene ausschließlich um dieses Geistes der Erzählung willen leben, daß dieser in unser aller Herzen und Köpfe unablässig sich formende Geist den geistig nicht erfaßbaren Platz Gottes einnimmt; das ist der imaginäre Blick, den wir auf uns fühlen, und alles, was wir tun oder lassen, tun oder lassen wir im Lichte dieses Geistes.

Dies muß ich vorausschicken, ehe ich die Frage stellen kann, warum Auschwitz im europäischen Bewußtsein zu dem wurde, was es ist: zum universalen Gleichnis, das das

Zeichen der Unvergänglichkeit trägt; das in seinem bloßen Namen sowohl die ganze Welt der nazistischen Konzentrationslager als auch die allgemeine Erschütterung des Geistes darüber faßt und dessen ins Mythische erhobener Schauplatz erhalten werden muß, damit die Pilger ihn aufsuchen können, so wie sie beispielsweise den Hügel von Golgatha aufsuchen. In der Tat, was ist Voraussetzung für die Erfüllung, für die – ich hoffe, nicht mißverstanden zu werden – in gewisser Hinsicht bestehende Vollkommenheit dieses Gleichnisses? Ein paar Dinge lassen sich jedenfalls anführen. Erstens: Grundvoraussetzung für jedes große Gleichnis ist seine Einfachheit. In Auschwitz verschwimmt die Grenze zwischen Gut und Böse keinen einzigen Augenblick. Die Erzählung weiß – und so war es ja im übrigen wirklich –, daß Millionen unschuldiger Menschen nach Auschwitz verschleppt, dort auf grausame Weise getäuscht und dann bestialisch ermordet wurden. Dieses Bild ist durch keine fremde Schattierung gestört, etwa eine politische: Die Geschichte wird nicht dadurch verkompliziert, daß etwa auch vom Standpunkt der Bewegung – und ausschließlich von dem ihrigen – zu Unrecht verurteilte, ansonsten aber linientreue Naziführer in Auschwitz interniert gewesen wären, mit denen sich der Geist der Erzählung in schwerfälligen Ambivalenzen auseinanderzusetzen hätte.

Zweitens: Auschwitz hat eine völlig offengelegte, ebendeshalb geschlossene und inzwischen unantastbare Struktur. Das bezieht sich gleichermaßen auf die räumliche wie auf die zeitliche Dimension. Dies ist ein wirklich seltsames Paradox. Denn obwohl noch Überlebende des Lagers unter uns sind – wie der Autor dieser Zeilen –,

steht es doch so entfremdet vor uns wie ein sorgfältig prä-
parierter Ausgrabungsfund, eine in allen Einzelheiten bekannte, abgeschlossene Geschichte, für die wir zu Recht
das Präteritum verwenden. Räumlich aber kennen wir
jede Ecke und jeden Winkel dieser Geschichte, von der
schwarzen Mauer bis zu den tschechischen Familien-
baracken, vom Sonderkommando bis zur Firmenmarke
der Krematoriumsventilatoren. Wie die Offenbarung des
Johannes steht sie vor uns, wie eine mit quälender Akribie
verfaßte Schreckensgeschichte von Edgar Allan Poe,
Kafka oder Dostojewski; ihre Details und ihre Logik sind
bekannt, die moralische Grauenhaftigkeit und Schande,
die Unermeßlichkeit der Qualen, die furchtbare, aus dem
europäischen Geist der Erzählung nicht mehr zu vertrei-
bende Lehre.

All das ist jedoch noch nicht genug, um ein Verbrechen
zur geistesgeschichtlichen Sensation werden zu lassen,
zur brennenden Wunde, zum Trauma, das, so wie die
Verletzungen eines schweren Unfalls im Körper, im Gedächtnis bewahrt wird: ruhelos, unauslöschbar und bei
jeder Berührung erneut aufbrechend. Dazu muß die Katastrophe lebenswichtige Organe verletzen. Es ist an der
Zeit, einen raschen Blick auf die beiden Co-Autoren der
Jahrhundert-Hanswurstiade zu werfen, auf die nazistische und die bolschewistische Bewegung. Der Geist der
Erzählung sieht in ihnen Vertragsbrüchige, mit anderen
Worten, Verbrecher. Die Stimmung der Schuld ist die
Ernsthaftigkeit, sagt Kierkegaard. Ich führe den Vertragsbruch deshalb an, weil wir, seit im brennenden Dorn-
busch der ethischen Kultur Europas die Vision des Geset-
zes erschien und, zu Worten geformt, in Stein gemeißelt

wurde, jedes Ereignis an diesen Worten messen und jede Tat in Bezug zu diesem Vertrag steht. Wir würden die Ernsthaftigkeit der Stimmung der Schuld, sagen wir, das moralische Rollenbekenntnis des Verbrechers, nicht verstehen, würde der Geist der Erzählung nicht Kain, Ahasver, Torquemada, Hitler und Stalin kennen. Allerdings sind die beiden Bewegungen nur in ihrem Endergebnis identisch: Terror, Lager, Genozid, vollständiger Niedergang des wirtschaftlichen, geistigen, seelischen und moralischen Lebens, Vernichtung des Individuums – wozu fortfahren? In ihrem Charakter unterscheiden sie sich hingegen. Beide gehen vom Geist der Erzählung aus: die eine ihn scheinbar (ihrer Ideologie nach) erfüllend, die andere sich ihm mit unverhohlener Wut widersetzend. Die eine erscheint als Erlöser, und unter ihrem Mantel hockt der Teufel; die andere ist wie der Satan gekleidet und ist es auch. Die eine wendet das Gesetz ungesetzmäßig an, die andere ächtet das Gesetz. Wenn sie im Massenmord auch eins sind, die Motivation ist für den bolschewistischen Massenmord – zumindest ursprünglich – doch eine andere als für den nazistischen. In aller Kürze nur noch ein paar gedrängte Sätze zu diesen beiden Mördertypen des 20. Jahrhunderts. Der bolschewistische: anstelle von Seele und Verstand Taktik. Disziplin der Taktik. Taktik als einzige Antriebskraft, als Moral, als «Leitfaden des Handelns». Die philosophische Rabulistik, die scholastischen Verdrehungen, das starre Dogma verleihen dem Ganzen ein kirchliches Gepräge, das mit dem kleinbürgerlichen Mief der Pseudo-Arbeiterbewegung und dem Beiklang von Folterkammern und Martyrien ein höchst merkwürdiges Ensemble bildet. Etwas von Jesuitentum ist darin, allerdings ohne den Elitarismus der Jesuiten. Die bolschewistische Elite wurde zerschlagen, die Elite der 30er Jahre aber, die die sogenannten 50er Jahre hervorbrachte, war keine Elite, höchstens Befehlsgewalt, Generalstab, hochrangiges Dienstheer. Und der nazistische Mördertyp? Verwandtes Gegenteil. Einfacher, man könnte sagen, moderner. Kein Mensch der Taktik, ganz unverhohlen stützt er sich auf die in Jahrtausenden von der Kultur zurückgedrängten niederen Instinkte des Menschen. Die Nazi-Disziplin ist militärische Disziplin, Kommandodisziplin. Eine eigenartige Mischung aus Bolschewist, Kolonialsoldat, mittelalterlichem Ritter, Hauptbuchhalter und Conquistador. Der Nazismus ist Tobsucht, entfesselte Hatz, quadratisch zugeschnittene massenhafte Bewegung, schäumende nationale Trunkenheit, Mord und Selbstmord, unverhüllte Verzweiflung und das Nichts. Mit Elite-Imitation gepaarter Minderwertigkeitskomplex. Der Nazismus steckt in den Nervenbahnen des Menschen als Haß, als Aggression, als Bacchanal, als Dummheit, als Flucht, als Geborgensein in der Tiefe der Masse und als *Arbeitsscheu* des betrunkenen, verlumpten Menschen, um noch einmal einen Ausdruck von Thomas Mann zu gebrauchen.

Camus sagt in «Der Mensch in der Revolte», der Bolschewismus strebe nach Universalität, der Nazismus – oder Faschismus – aber nicht. Nun, das ist ein grundlegender Irrtum. Aber ein verständlicher: als geistiger Mensch suchte Camus ganz unwillkürlich die positive Ideologie einer konstruktiven Bewegung im Faschismus, und sei es nur als Maske. Dabei hat die nazistische Bewegung ihren Anspruch auf Universalität gerade mittels

Negativität und Dekonstruktivität angemeldet. Sehen wir uns doch an, wie sie sich in den allgemeinen Mythos einschaltete, wenn auch nur als negativer Held, wie sie nach Universalität strebte, wenn auch keineswegs mit Liebe, sondern gerade mit deren Kehrseite, mit Haß und Mord.

Welche Wissenschaft sich auch immer mit der Frage des Antisemitismus beschäftigt – ich denke freilich an echte und nicht an irgendwelche ideologische Pseudo-Wissenschaft –, das Ergebnis ist stets das gleiche: Sie steht der Sache ohnmächtig gegenüber. Sie führt ein paar auf der Hand liegende historische, wirtschaftliche, gesellschaftliche, bewußtseins- und situationsbedingte usw. Gründe für den Antisemitismus an, um schließlich festzustellen, daß er irrational ist. Ich meine, der Geist der Erzählung liefert auch hier eine bessere Erklärung. Freud erwähnt, daß auch der unterschwellige Aufruhr der einst heidnischen Germanen gegen das Christentum ein Motiv für den Antisemitismus der Deutschen bilde, letztlich sei der christliche Glaube ein Kind des jüdischen Monotheismus. Mir scheint jedoch, das kann das brutale Marschgebrüll wenn überhaupt, dann allenfalls als ferner Harfenklang begleiten. Und auch wenn es so wäre, warum rebellieren die Deutschen dann gerade in den zwischen 1933 und 1945 liegenden zwölf Jahren gegen das Christentum, das heißt gegen das Judentum? Gleichwohl ist die Frage nicht so absurd, wie es auf den ersten Blick scheint. Gott bewahre uns vor obskurer Mystik, davor, daß wir in den Tiefenschichten der germanischen Seele stochern, Tatsache ist jedoch, daß in den Jahrhunderten seit Beginn der Neuzeit die Art des Umgangs mit den Juden, die Beziehung zu den Juden, oder umgangssprachlich ausgedrückt: die Judenfrage zur Gewissensfrage Europas wurde. Man könnte sagten, sie brannte auf den Nägeln, so wie die neuzeitlichen Revolutionen, deren denkwürdigste, die französische, schließlich die individuelle und Rechtsgleichheit der Juden proklamierte. Mit der Gesetzgebung an sich aber ist es noch nicht getan, wenn sie nicht auch vom Geist der Erzählung akzeptiert und sanktioniert wird. Was ich damit sagen will? Daß der aktive Antisemitismus von da an *wirklich* zum Stein des Anstoßes wurde und fortan stets im schwarzen Gewand des Vertragsbruchs erschien. Ich verweise nur beiläufig auf die Dreyfus-Affäre und den Prozeß von Tiszaeszlár [1], die, obwohl unterschiedlich in der Größenordnung, dennoch die gleiche Wirkung hervorriefen: den Skandal, die plastische Konfiguration von dunklen und hellen, regressiven und progressiven, guten und bösen Kräften. Und wenn wir schon unbedingt tiefenpsychologische Triebfedern für den deutschen, den nationalsozialistischen Antisemitismus suchen, meine ich, sie eher in der Auflehnung der Deutschen gegen die Aufklärung, genauer, gegen die *französische* Aufklärung sehen zu können, die durch den verlorenen Weltkrieg und den nachfolgenden «Frieden» einen überaus aktuellen Inhalt erhielt.

Ich wies bereits darauf hin, daß die nationalsozialistische Bewegung mit einfacheren, wenn man will, unverhüllterem Mittel arbeitete als die bolschewistische. Einfachheit –

---

1 In Tiszaeszlár (Nordungarn) wurde Ende 19. Jh. ein Jude in einem berüchtigten Schauprozeß wegen angeblichen Kindesmordes angeklagt.

das bedeutet zugleich Einfachheit der Maske. Der Skandalerreger, der moderne Kain, derjenige, der als treibenden Motor für seine Machtentfaltung den Vertragsbruch wählt, der also auf die Weise in die Erzählung gelangen will, daß er sich ihrem Geist entgegenstellt, schreibt sich sofort den Antisemitismus auf die Fahne seiner Revolte. Er ist ein universales Symbol und eine klare Aufforderung zur Komplizenschaft. Der Antisemitismus ist also, durch das an den Juden begangene Verbrechen, ein Verbrechen gegen den gültigen Vertrag und die für diesen noch sehr empfängliche und empfindliche Seele. So meldete die nationalsozialistische Bewegung ihren Anspruch auf Universalität an – und so wurden ihre Greueltaten andererseits unsterblich. Sie verletzte jenen Vertrag, auf den die herrschende Vernunft kurz zuvor noch stolz gewesen war und den sie als unverletzbar angesehen hatte. Was für eine Analyse wir auch anstellen, der Rauch des Holocaust warf einen langen, dunklen Schatten auf Europa, während seine Flammen unauslöschliche Zeichen in den Himmel brannten. In diesem Schwefellicht erneuerte der Geist der Erzählung die in Stein gemeißelten Worte; in dieses bedrückende neue Licht stellte er nun die uralte Geschichte, ließ aus dem Gleichnis Wirklichkeit werden, erweckte das ewige Passionsspiel vom menschlichen Leid zu neuem Leben. Auschwitz, vorrangiger Schauplatz des Holocaust, ist für alle Zeiten zum Inbegriff nationalsozialistischer Konzentrationslager geworden, auch wenn es Hunderte anderer Lager gab und wir sehr wohl wissen, daß auch in Auschwitz Zehntausende Nichtjuden eingesperrt waren und ermordet wurden.

Nur am Rande sei noch hinzugefügt, daß es, als Stalins

Großmacht-Bolschewismus schließlich entschlossen und unverhüllt den nationalsozialistischen, gegen Europa und die Zivilisation gerichteten Weg des Vertragsbruchs einschlug, das erste war, dies mit einem «Juden-Prozeß» zu demonstrieren: Damit legte er gleichsam die Bühnenmaske an, an der sämtliche Zuschauer und Teilnehmer des großen Mythos sofort Ziel und Charakter des Hauptdarstellers erkennen. Zum Glück – zumindest in dieser Hinsicht – offenbarte er sein wahres Ansinnen erst ziemlich spät. Doch sollte man nicht glauben, daß es nur das Glück der Juden war, denn der zum äußersten entschlossene Vertragsbrüchige begnügt sich, als Zeichen seiner Universalität, selten mit weniger als der Weltkatastrophe.

Ich möchte noch einmal feststellen, es war nicht mein Ziel – und konnte es nicht sein, da es sinnlos wäre –, Übereinstimmungen und Unterschiede nationalsozialistischer und sowjetischer Konzentrationslager darzulegen. Das Leid hat kein Maß, die Ungerechtigkeit keinen Gradmesser. Der Gulag und das Netz der Nazi-Lager wurden zu ein und demselben Zweck errichtet, und daß sie diesen Zweck erfüllt haben, bezeugen Millionen von Opfern. Warum die kollektive Erinnerung, der rätselhafte, aber entschlossene Geist der Erzählung sich dann lieber dieses Lager wählte als ein anderes, andere jedoch mit diesem symbolisierend, dafür habe ich einige Gründe zu finden versucht. Auf jeden Fall scheint die Entscheidung des Mythos für Auschwitz heute endgültig zu sein: Die Auschwitz-Erzählung ist bereits in jene Periode der heimlichen Reifung und des scheinbaren Vergessens hinübergetreten, die psychoanalytische Schulen als Verdrängung bezeichnen. Der Gulag, darin bin ich sicher, ist trotz aller Ähnlichkeit eine *andere* Erzählung. Mit keinem Wort behaupte ich, daß es darin weniger Verbrechen und Greuel gäbe, daß sie weniger erschütternd sei, doch die Unvergänglichkeit – wie schmerzlich seltsam – hängt nicht davon ab; und ich habe das Gefühl, daß der Geist der Erzählung noch an dieser Geschichte arbeitet, bevor er ihr seinen endgültigen Stempel aufdrückt.

Deutsch von Kristin Schwamm

Der Holocaust als Kultur

Zum Jean-Améry-Symposium in Wien 1992

Als ich 1989 zum erstenmal in meinem Leben in Wien war, kam ich in der Innenstadt zu einem malerischen Platz, von dem Stufen zum Donaukanal hinunterführten und kopfsteingepflasterte Gassen sich zwischen altertümlichen Läden und Hauseingängen hinwegschlängelten. Das heimelige Stadtbild wurde nur von einer einzigen Wahrnehmung gestört: An der Ecke eines abschüssigen Gäßchens sah ich Polizisten in Baskenmützen, die, ausgerüstet mit Maschinenpistolen, Wache standen. Ich erfuhr sogleich, daß sich dort das Stammhaus der Jüdischen Gemeinde, unmittelbar daneben die Synagoge befinden. Es war fast fünfzig Jahre her, seit ich – noch als Schüler – zum letztenmal einen jüdischen Gottesdienst besucht hatte: Ich kriegte Lust einzutreten. Doch im Tor der Synagoge versperrte man mir den Weg. Zwei stattliche junge Männer mit runden, bestickten Käppchen erkundigten sich nach meinen Absichten. Hier könne man nicht so einfach hinein. Einige Jahre zuvor war bei der Synagoge ein Anschlag verübt worden. Deshalb die Polizei. Warum ich hineinwolle und wer ich sei, wollte man wissen. Ich entgegnete, ich sei ein ungarischer Schriftsteller, der sich in seinen Büchern ein wenig mit Fragen des Jüdischseins befasse. Sie fragten, ob ich das nachweisen könne. Das konnte ich nicht. Ich solle irgend etwas auf hebräisch sagen. Mir fiel auch kein einziges hebräisches Wort ein. Aber ich wisse doch wenigstens, so bohrten sie weiter, was für ein Nachmittag heute sei. Nicht ich, sondern meine blonde, erzkatholische österreichische Begleiterin gab die Antwort: Freitag nachmittag, Sabbatbeginn. Widerstrebend wurde ich endlich eingelassen.

Ebenso irrelevant, fremd und unerkannt wie im Tor der Wiener Synagoge stehe ich jetzt hier. Ich spreche vor einem Publikum, das meine Arbeiten wohl kaum kennt. Auch hier müßte ich mein Anliegen vielleicht mit ein paar Erläuterungen beginnen, meine Zuständigkeit nachweisen, unter Beweis stellen, daß ich das höchst fragliche Vorrecht besitze, öffentlich über die vom Holocaust gebrandmarkte Existenz und Jean Améry zu sprechen. Aber ich bedaure diese Irrelevanz nicht im geringsten. Vielmehr sehe ich die nun mehr und mehr schwindende Möglichkeit der Äußerung von Überlebenden dazu gerade in der Irrelevanz, als Sinnbild der verworrenen und unerkannten Übergangssituation, in welcher der Überlebende – wie auch Améry – gezwungen ist zu verweilen, bevor diese Existenz dann – sei es in einer tragischen Geste wie in seinem Fall oder auch anderswie – hervortreten und sich offenbaren kann. Der Holocaust hat seine Heiligen ebenso wie jede andere Subkultur; und wenn die Erinnerung an das Geschehene erhalten bleiben soll, dann wird das nicht durch offizielle Reden, sondern durch diejenigen geschehen, die Zeugnis geben.

Damit habe ich schon ungefähr umrissen, worüber ich sprechen möchte. Vom ersten Augenblick an, als er noch bei weitem nicht vor den Augen der Welt ausgebreitet war, sondern tagtäglich namenlos in Verstecken namenloser Tiefe geschah und allein das Geheimnis der Beteiligten, der Opfer und der Henker, war – vom ersten Augenblick an war der Holocaust mit einem schrecklichen Bangen behaftet: dem Bangen vor dem Vergessen. Dieses Bangen ging über das Grauen, über Leben und Tod des einzelnen hinaus, ging hinaus über das gierige Verlangen nach dem Walten der Gerechtigkeit, über «Schuld und Sühne», um das Buch von Améry zu zitieren; dieses Bangen war von Anfang an von einem gleichsam metaphysischen Gefühl durchdrungen, wie es für Religionen, für religiöses Empfinden charakteristisch ist. Als würde tatsächlich am ehesten das Bibelwort passen: «Die Stimme des Blutes deines Bruders schreit zu mir von der Erde.» Und wenn ich den Holocaust gerade eine Subkultur nannte, also eine bestimmte, man kann sagen, durch kultischen Geist zusammengefügte seelische und emotionale Gemeinschaft, dann bin ich von diesem, mit der Zeit eher zunehmenden als nachlassenden Verlangen ausgegangen; ob dieses Verlangen auch von der breiteren Kultur anerkannt, gar angenommen und schließlich zu ihrem eigenen Teil gemacht wird, hängt davon ab, in welchem Maß sich dieses Verlangen als begründet erweist.

Und schon haben uns die Worte, kaum daß wir es bemerkten, in einen bestimmten Kontext geführt. Wir sprechen von Subkultur, die wir in ein Weltbewußtsein, genauer: in die europäisch-amerikanische Zivilisation einfügen, zu der wir letzten Endes alle, die wir hier heute über Améry sprechen, gehören. Doch was hat das mit dem einsamen Ausgestoßenen, dem Fremden, dem Gebrandmarkten zu tun, dem das angeborene Recht eines jeden Menschen, das «Weltvertrauen», mit dem Ochsenziemer ausgetrieben worden ist? Im ersten Kapitel seines Buches «An den Grenzen des Geistes» vollzieht Améry eine radikale Abrechnung mit dem Geist und mit dem «Intellektuellen», dem «geistigen Menschen», als der Verkörperung des kulturellen Phänomens. «Die Frage», schreibt er, «die sich aufdrängt, heißt, auf ihre bündigste Formel reduziert: Haben Geistesbildung und intellektuelle Grunddisposition einem Lagerhäftling in den entscheidenden Momenten geholfen? Haben sie ihm das Überstehen erleichtert?» Die radikale Antwort Amérys lautet: Nein. Nein, unter anderem schon deshalb nicht, weil «das geistige und ästhetische Gut in den unbestrittenen und unbestreitbaren Besitz des Feindes übergegangen» war. «In Auschwitz ... mußte der isolierte einzelne noch dem letzten SS-Mann die gesamte deutsche Kultur samt Dürer und Reger, Gryphius und Trakl überlassen.» Die Situation des Intellektuellen wurde in jedem Fall durch die Bildung verschlechtert, so Améry; die schwerste Versuchung des Denkens aber, in die der Intellektuelle durch sein geschichtliches Wissen und seine Bildung geraten konnte, war die Selbstdestruktion: Vielleicht hat der Feind recht? Hat die Macht nicht immer recht? Und die Macht der SS türmte sich so «ungeheuerlich» und so «unüberwindlich» vor dem Auschwitzhäftling auf, daß er ihre Logik schließlich durchaus als «vernünftig» empfinden konnte.

Das sind Überlegungen, die nicht zu vermeiden waren. Jeder Auschwitzhäftling, der nicht einer religiösen, rassischen oder politischen Idee ergeben war, hat sich diese Fragen gestellt, jeder, der keinen Glauben, kein Volk und keine Mission hatte, der nur sein Schicksal, seine nackte

Existenz besaß: jeder einsame Intellektuelle. Jeder erhob für sich seine Anklage gegen die Kultur. Hegels Behauptung, daß die Vernunft universal sei, erwies sich als ein schwerer Irrtum, so wie auch die Kultur nicht universal ist. Kultur ist privilegiertes Bewußtsein: Dieses Bewußtsein objektiviert, und das Recht zur Objektivierung befindet sich im Besitz des privilegierten Bewußtseins. Deshalb die ungeheuerliche Angst, die Kultur werde das Wissen über den Holocaust, über Auschwitz abstoßen. «Du weißt, wie sehr ich Plato geliebt habe. Erst heute weiß ich, daß er log», schreibt ein anderer Auschwitzhäftling, der polnische Katholik Tadeusz Borowski, in einer seiner unsterblichen Erzählungen. «Denn die irdischen Dinge spiegeln keine Ideale wider, in ihnen verbirgt sich die schwere, blutige Arbeit von Menschen.» Und er fährt fort: «Was wird die Welt von uns wissen, wenn die Deutschen siegen? … Man mordet unsere Familien, Kranke, Alte. Man schlachtet unsere Kinder. Und niemand wird je von uns wissen. Das Geschrei der Dichter, der Anwälte, der Philosophen und Priester wird über uns hinwegtönen. Der Schöpfer des Schönen, des Guten und der Gerechtigkeit. Der Religionsgründer.» Zwanzig Jahre später vernehmen wir das Echo dieser Worte bei Jean Améry: «Alle erkennbaren Vorzeichen deuten darauf hin, daß die natürliche Zeit die moralische Forderung unseres Ressentiments refüsieren und schließlich zum Erlöschen bringen wird … Als die wirklich Unbelehrbaren, Unversöhnlichen, als die geschichtsfeindlichen Reaktionäre im genauen Wortverstande werden *wir* dastehen, die Opfer, und als Betriebspanne wird schließlich erscheinen, daß immerhin manche von uns überlebten.»

Solche Überlegungen, ich sagte es, waren unvermeidbar. Nichts wäre törichter, als sich ihnen entgegenzustellen, sie in Frage stellen oder qualifizieren zu wollen. Zu qualifizieren ist die Situation, die das Entstehen und das Zuendedenken solcher Überlegungen erzwingt. Und wir werden dann feststellen, daß diese Überlegungen nicht nur notwendig, sondern auch vollkommen begründet und berechtigt sind. Andererseits kann unserer Aufmerksamkeit nicht entgehen, daß diese Überlegungen und ihre Erscheinungsform letzten Endes eine Manifestation von Kultur, mehr noch: ein Kulturprodukt darstellen. Améry wendet sich an den verstoßenen Geist. Er war viel zu geistvoll, um dieses Paradoxon kaschieren zu wollen. Schon der Titel seines Buches «Jenseits von Schuld und Sühne» verweist auf Dostojewski und Nietzsche. Einem anderen seiner Bücher gab er den Titel «Unmeisterliche Wanderjahre» und zitiert damit geradezu Goethe in den Zeugenstand. Seine Sprache ist beste deutsche Literatursprache, sein Stil am französischen Essay messerscharf geschliffen. In Auschwitz konnte ihm der Geist nicht helfen, doch nach Auschwitz rief er den Geist zum Beistand, um die Anklage gegen ebendiesen Geist zu verfassen. Er fand keinen Ausweg aus der Kultur, er wechselte von der Kultur nach Auschwitz und von Auschwitz wieder in die Kultur, so, wie von einem Lager ins andere, und die sprachliche und geistige Welt der gegebenen Kultur umschloß ihn wie der Stacheldrahtzaun von Auschwitz. Er überlebte Auschwitz; und wenn er sein Überleben überleben wollte, wenn er es mit Sinn, oder sagen wir besser: mit Inhalt versehen wollte, dann konnte und mußte er als Schriftsteller die einzige Chance notgedrungen in der Selbstdokumentierung, in der Selbstanalyse, in der Objektivierung, das heißt in der Kultur, sehen. «Wie ein Hund! sagte K., es war, als sollte die Scham ihn überleben.» Wollte er aber wirklich, daß die Scham ihn überlebte, dann mußte er die Scham genau artikulieren und das Artikulierte in eine bleibende Form gießen, das heißt, er mußte ein guter Schriftsteller werden.

Dieses Paradoxon ließe sich ins Unendliche fortführen. Wenn er sich der Vergänglichkeit, der amoralischen Zeit stellen wollte, dann mußte er sein Leben – bis er auch das von sich warf – dem Schreiben widmen. Ob auch sein Freitod noch zu seinem Werk gehörte, ist eine andere Frage, die wir hier nur flüchtig und zaghaft berühren. «In seiner Niederlage findet der Gläubige seinen Sieg», sagt Kierkegaard. Und beredter noch ist der Untertitel, den Améry seinem Buch gab: «Bewältigungsversuche eines Überwältigten». Wie aber «bewältigt» ein Schriftsteller? Übernimmt er die Macht? Jawohl, in einem gewissen Sinne tut er das. Wir sprachen davon, daß das Recht zur Objektivierung ein Privileg, gewissermaßen eine Macht ist. Der gebrandmarkte zum Tode Verurteilte, den diese Macht überwältigte, beansprucht nun das Recht zur Objektivierung wieder für sich. Vielleicht ist es dieser geheime Gedanke, der sich in seinem Buch in den Tiefen des berühmten Kapitels «Ressentiments» verbirgt. In dem Roman eines anderen Überlebenden von Auschwitz lesen wir die folgenden Zeilen: «...ich finde für meine störrische Leidenschaft letztlich nur eine einzige Erklärung: Vielleicht fing ich an zu schreiben, um an der Welt Rache zu nehmen. Um Rache zu nehmen und um ihr zu entreißen, wovon sie mich ausgeschlossen hat. Möglicherweise produzieren meine Nebennieren, die ich sogar aus Auschwitz heil gerettet habe, zuviel Adrenalin. Wieso auch nicht? Schließlich steckt auch in der Widerspiegelung eine Macht, die den Aggressionstrieb für einen Augenblick besänftigen und einen Ausgleich, einen vorübergehenden Frieden herstellen kann. Das war es wohl, was ich wollte, ja, zwar nur in der Phantasie und mit den Mitteln der Kreativität, aber ich wollte Macht über die Wirlichkeit gewinnen, die mich ihrerseits – sehr wirksam – in ihrer Macht hatte. Ich wollte aus meinem ewigen Objekt-Sein zum Subjekt werden, wollte selbst benennen, statt benannt zu werden.» Dieser Überlebende von Auschwitz steht jetzt vor Ihnen, sein Roman trägt den Titel «Fiasko», und als er diese Zeilen schrieb, kannte er von Améry noch nicht einmal den Namen.

In dem Kapitel «Die Tortur» stellt sich Améry gegen eine Definition von «Totalitarismus», die alle Arten von Parteidiktatur, insbesondere die von Hitler und Stalin, in einen Topf wirft. Dagegen, daß nicht Hitler die Folter gewesen sei, sondern ein «nebulöser» Begriff, der «Totalitarismus». Ich werde mich hüten, meine Erörterungen auch nur versehentlich in einen politischen Essay abgleiten zu lassen, aber ich möchte festhalten, daß ich die Unterscheidung Amérys völlig verstehe. Der gequälte Mensch, der die Schwere seines Schicksals mit den Konsequenzen für die eigene Person angenommen hat und trägt, ist nicht bereit, mit einem allgemeinen Prinzip zu paktieren. Wo bleibt dann seine Freiheit? Sein persönliches Schicksal? Seine persönliche Betroffenheit? Und andererseits: mit wem soll er abrechnen, wem gegenüber

«Ressentiments» empfinden und walten lassen, wenn doch alles so verständlich, so einfach und unpersönlich ist, wie es der abstrakte Begriff des Totalitarismus vorgibt. Améry sah sich Menschen, «Gegenmenschen», gegenüber, nicht der Totalitarismus prügelte ihn mit dem Ochsenziemer und hängte ihn mit gefesselten Händen an Ketten, sondern der berlinernde Leutnant Praust. Wie auch immer man den Totalitarismus – und er sich selbst – definieren mag, in den Augen von Améry, gerade als deutschem Schriftsteller und Philosophen, war er zuvörderst der Skandal des deutschen Nazismus und allenfalls danach einer des russischen Bolschewismus. Das ist legitim so, und tatsächlich kann kein ernsthaft denkender Mensch die beiden Phänomene wirklich gleichsetzen. «Ich bin überzeugt, daß für dieses Dritte Reich die Tortur kein Akzidens war, sondern seine Essenz», schreibt Améry. Angemerkt sei jedoch, daß die Tortur auch im Staatstotalitarismus unter Hammer und Sichel kein zufälliges Element war, sondern sein Wesen darstellte. Überhaupt stellt die Tortur das Wesen jeder Verabsolutierung dar, die zu Staatsrang erhoben wird, jeder Diktatur, die die Macht zu Gewaltherrschaft aufbläht. Das wird übrigens auch von Améry anerkannt. In gewissen Fragen scheint er jedoch einen etwas eigenwilligen Standpunkt zu vertreten. Er ist zum Beispiel imstande, über den Antisemitismus in einer Weise zu sprechen, als ginge es immer noch um das gleiche Vorurteil wie zu Zeiten unserer Großväter. Dabei wollten die Nazis gerade das die Menschen glauben machen – und alle, die den Nazis in Ost- oder Westeuropa oder wo auch immer bis zum heutigen Tag folgen. Wir sind jedoch verpflichtet, qualitative Unterschiede zu erkennen. Der Antisemitismus des 19. Jahrhunderts hätte sich die Endlösung wohl kaum vorstellen können oder wollen. So ist Auschwitz also auch nicht mit den herkömmlichen, archaischen, um nicht zu sagen: klassischen Begriffen des Antisemitismus erklärbar. Das ist es, was wir ganz genau begreifen müssen. Hier gibt es nicht den geringsten organischen Zusammenhang. Unsere Zeit ist nicht die Zeit des Antisemitismus, sondern die von Auschwitz. Und der Antisemit unserer Zeit will nicht mehr von den Juden abrücken, er will Auschwitz. Eichmann sagte während seines Prozesses in Jerusalem aus, er sei nie Antisemit gewesen, und obwohl die Anwesenden an dieser Stelle in Gelächter ausbrachen, halte ich es durchaus nicht für unmöglich, daß er die Wahrheit sagte. Der totalitäre Staat braucht, um Millionen von Juden zu ermorden, letzten Endes nicht so sehr Antisemiten als vielmehr tüchtige Organisatoren.

Dieser Exkurs war nötig, um auf das zurückkommen zu können, was Améry mit einer überaus schmerzhaften Präzision als «Betriebspanne» definiert hat. Niemand dürfte sein Pannen-Dasein so tief empfunden haben wie ein auf Grund seines Judentums «Überwältigter», der seine «Bewältigungsversuche» im sogenannten Sozialismus unternahm. Die Diktatur des Proletariats sah es nicht gern, wenn man an den Holocaust erinnerte, und weil sie es nicht gern sah, hat sie solche Stimmen fast restlos zum Schweigen gebracht oder in die Schemata konformistischer Euphemismen gezwängt. Wenn irgend jemand trotzdem zu denken wagte, Auschwitz sei für den die ethische Kultur Europas sozusagen traumatisch überstehenden Menschen das größte Ereignis seit dem Kreuz, und sich diesen Fragen mit der nötigen Ernsthaftigkeit zu widmen suchte, hatte er von vornherein damit zu rechnen, daß er zu völliger Einsamkeit und Isolation verurteilt wurde. Daß seine Bücher, wenn überhaupt, nur in begrenzter Auflage erschienen, daß man ihn selbst an die Peripherie des literarischen und geistigen Lebens verbannte, die manipulierte Kritik ihn in die taube Stille des Totgeschwiegenwerdens oder sogar in eine Einzelzelle stieß, daß man nun, wie einst ihn selbst, sein Werk zum Tode verurteilte.

Ich denke heute oft darüber nach, daß der Holocaust seine gebrandmarkten Opfer nicht nur in den Konzentrationslagern, sondern auch noch Jahrzehnte später zu verzeichnen hat. Als hätte die Befreiung der Lager das Urteil nur aufgeschoben, das die zum Tode Bestimmten schließlich selbst vollstreckten: Paul Celan, Tadeusz Borowski, Jean Améry sind in den Freitod gegangen, ja selbst Primo Levi, der sich in einer Streitschrift gegen Amérys entschlossenen existentiellen Radikalismus gestellt hatte. Wenn ich diesen in mehrfacher Hinsicht demonstrativen Schicksalen zuweilen mein eigenes gegenüberstelle, bleibt mir nur der Schluß, daß offenbar ebenjene «Gesellschaft» mir durch die vergangenen Jahrzehnte geholfen hat, die nach Auschwitz in Gestalt des Stalinismus bewies, daß von Freiheit, von Befreiung, der großen Katharsis und so weiter, von all dem also, was Intellektuelle, Denker und Philosophen in glücklicheren Gegenden nicht nur im Munde führten, sondern woran sie offenbar auch glaubten, nicht die Rede sein konnte; die mir die Fortsetzung der Gefangenschaft garantierte und so auch die Möglichkeit des Irrtums ausschloß. Das ist offensichtlich der Grund, daß mich die Flut der Enttäuschung nicht erreicht hat, die den in freieren Gesellschaften mit ähnlichen Erlebnissen Lebenden gegen die fliehenden Füße brandete, bis sie ihnen schließlich – wie sehr sie ihre Schritte auch beschleunigten – bis zum Hals stand. Ich hatte keine Identitätsprobleme, da nicht nur ich, sondern auch die Nation, in deren Verband ich lebte, gefangen war. Nun, da die Kerkermauern gefallen sind, erschallt in der Kakophonie zwischen den Ruinen wieder das heisere Geschrei des Antisemitismus nach Auschwitz, das Geschrei derer, die Auschwitz bejahen. Wie Camus' «Fremder» begrüße ich das Haßgebrüll als brüderliche Stimmen. Ich fürchte mich nicht – der Holocaust hat mir die Furcht vor den Antisemiten ausgebrannt. Was gehen sie mich an? Programmatischer Antisemitismus ist nach Auschwitz heute eine Privatangelegenheit, die mich allerdings auch heute noch vernichten kann, doch das wäre nur ein bloßer Anachronismus, ein Irrtum, bei dem, wie Hegel sagen würde, der «Weltgeist» nicht mehr anwesend ist; es wäre Provinzialismus und Unkultur; «ganz und gar Sache der Antisemiten, ihre Schande oder ihre Krankheit», wie Améry schreibt. Ich werde dadurch aber wenigstens wieder auf meine wahre Situation aufmerksam gemacht, falls ich sie durch die flüchtige Illusion der zurückgewonnenen Freiheit für einen kurzen Augenblick vergessen haben sollte.

Diese Situation verdiente an sich nicht allzuviel Beachtung. Es ist die Situation eines Überlebenden, der versucht hat, sein Überleben zu überleben, mehr noch: zu deuten, der sich – zur letzten Generation der Überlebenden gehörend – darüber im klaren ist, daß mit dem Dahinschwinden seiner Generation zugleich die lebendige Erinnerung an den Holocaust aus der Welt schwindet. Sein Dasein ist eine Panne, ein purer Zufall, der ständiger Rechtfertigung bedarf, obgleich er tatsächlich nicht zu rechtfertigen ist. – Doch erinnert diese Situation nicht ein wenig an die allgemeine Situation des Menschen in der Welt, wie wir sie aus den Interpretationen der modernen Philosophie und Anthropologie kennen? Wo Améry seine Fremdheit, den Verlust des «Weltvertrauens», seine gesellschaftliche Isolation und seine existentielle Verbannung analysiert, sprengt er – meiner Meinung nach – die eng gesteckten Grenzen seines Buches und spricht einfach vom Zustand des Menschen. Der Überlebende ist lediglich ein äußerst tragischer Protagonist dieses Epochenzustands, der den Kulminationspunkt dieses Zustandes erlebt und erlitten hat: Auschwitz, das wie die schreckliche Weltvision eines umnachteten Geistes hinter uns am Horizont aufragt und dessen Silhouette, wie weit wir uns auch entfernen, nicht schwindet, sondern sich vielmehr auszudehnen und zu wachsen scheint. Heute wissen wir: das Überleben ist nicht nur das persönliche Problem der Überlebenden, der lange, dunkle Schatten des Holocaust legt sich über die gesamte Zivilisation, in der er geschah und die mit der Last und den Folgen des Geschehenen weiterleben muß.

Sie können sagen, ich übertreibe, begegnen Sie doch kaum Spuren dieser Folgen, die Welt spricht längst über anderes. Doch das ist nur Oberfläche, Schein. Über die Wichtigkeit von Fragen entscheidet, ob es vitale Fragen sind. Und wenn wir untersuchen, ob der Holocaust eine vitale Frage der europäischen Zivilisation, des europäischen Bewußtseins ist, so werden wir sehen, daß er dies unbedingt ist, denn er muß von derselben Zivilisation reflektiert werden, in deren Rahmen er sich vollzogen hat, sonst wird sie selbst zu einer Pannen-Zivilisation, zu einem invaliden Protozoon, das hilflos seinem Untergang zutreibt. Andernfalls aber muß sie zum Holocaust Position beziehen. Aber was sage ich damit? Sie hat ja anscheinend bereits Position bezogen. Wie es scheint, sind die Befürchtungen Amérys – und Borowskis –, daß die Mörder recht behalten könnten, unbegründet geblieben: Für Vernichtung, staatlich ausgeübten Genozid gibt es in Europa aufs weitere keine Kultur, nur eine Praxis; diese Praxis aber ist nicht legitimierbar, und falls sie jemals zu einer legitimierten Moral werden sollte, würde das zugleich das Ende des Lebens bedeuten, darüber ist sich jeder im klaren. Unmengen sozialwissenschaftlicher und historischer Werke haben versucht, das Phänomen Holocaust «aufzuarbeiten». Es kamen die unterschiedlichsten Interpretationen heraus, angefangen von der Banalität des Mordes bis zu den dämonologisierenden Arbeiten; bei einer philosophierenden Dame las ich sogar, daß sich der Holocaust nicht in die Geschichte einpassen ließe – so als wäre die Geschichte etwas wie eine Kommode, bei der die Maße der Schubladen entscheiden, was hineinpaßt und was nicht. In einer Hinsicht mag unsere Philosophin allerdings durchaus recht haben: Der Holocaust ist nämlich – dem Wesen seiner Charakteristika nach – kein Geschichtsereignis, so wie es andererseits kein Geschichtsereignis ist, daß der Herr auf dem Berge Sinai Moses eine Steintafel mit eingravierten Schriftzeichen übergab.

Ich weiß nicht, ob sich allmählich abzeichnet, wovon

ich spreche. Ich spreche jedoch bis zuletzt über eine einzige Frage, die offen zu stellen nicht üblich, vielleicht auch nicht so schicklich ist, obgleich sie doch in jenem rätselhaften und langwierigen Prozeß entschieden werden muß, in dem über die großen ethischen Fragen letztlich entschieden wird. Diese Frage heißt: Kann der Holocaust Werte schaffen? Meiner Meinung nach ist der seit Jahrzehnten vor sich gehende Prozeß, in dessen Verlauf der Holocaust zunächst verdrängt und dann dokumentiert worden ist, zur Zeit eben bei dieser Frage angelangt, er ringt mit ihr. Das reicht jedoch noch nicht, es muß, wie gesagt, eine Entscheidung getroffen werden, und das bedeutet ein Werturteil. Wer nicht fähig ist, seiner Vergangenheit in die Augen zu sehen, ist dazu verurteilt, sie ewig zu wiederholen – wir kennen diesen Ausspruch Santayanas. Eine lebensfähige Gesellschaft muß ihr Wissen, ihr Bewußtsein von sich selbst und von den eigenen Bedingungen wachhalten und ständig erneuern. Und wenn ihre Entscheidung lautet, daß die schwere, schwarze Trauerfeier für den Holocaust ein unverzichtbarer Bestandteil dieses Bewußtseins ist, dann gründet diese Entscheidung nicht auf irgendwelchem Beileid oder Bedauern, sondern auf einem vitalen Werturteil. Der Holocaust ist ein Wert, weil er über unermeßliches Leid zu unermeßlichem Wissen geführt hat und damit eine unermeßliche moralische Reserve birgt.

Das tragische Weltwissen einer den Holocaust überlebenden Moral könnte, wenn es bestehenbleibt, vielleicht sogar das von Krisen geschüttelte europäische Bewußtsein befruchten, ähnlich wie der der Barbarei trotzende und in den Perserkrieg ziehende griechische Genius die

antike Tragödie als unvergängliches Vorbild hervorbrachte. Wenn der Holocaust in unseren Tagen eine Kultur hervorgebracht hat – wie es nun einmal unleugbar
geschehen ist und geschieht –, dann kann seine Literatur
daraus, aus der Bibel und aus der griechischen Tragödie,
diesen beiden Quellen der abendländischen Kultur, Inspiration schöpfen, auf daß der nicht wiedergutzumachen-
den Realität Wiedergutmachung entsprieße – der Geist,
die Katharsis.

Möglich, daß man das alles für eine Utopie hält, daß
man sagt, man könne im realen Leben keine Spur davon
entdecken. Ja, man begegne im realen Leben gerade dem
Gegenteil: einer gleichgültigen Masse, zynischer Ideologie, Vergessen, Mord, Chaos. Aber die wichtigsten Vorgänge spiegeln sich nicht immer in der unmittelbaren,
synchronen Realität. Und ich spreche zudem von einem
Prozeß, dessen Umrisse ich wohl sehen kann, dessen
Ausgang ich aber noch nicht kenne. Wir leben, wie ich
schon anfangs sagte, im Kontext einer Kultur, und in diesem Kontext können wir den Leichnam Jean Amérys
nirgendwo anders sehen als auf dem unaufhörlich entste-
henden Mahnmal des Holocaust, auf dem er ihn nieder-
legte wie eine blutgetränkte Blume.

Deutsch von György Buda

Der überflüssige Intellektuelle

Niemand erwartet hoffentlich von mir, daß ich dem so überaus positive Erwartungen weckenden Titel «Intellektuelle in Europa – zum Beispiel Ungarn und Deutsche» Genüge tun könnte und hier mit der sachkundigen Objektivität des Soziologen nicht nur die momentane Situation und aktuellen Probleme der ungarischen Intellektuellen analysiere, sondern darüber hinaus auch – was wohl am meisten interessieren dürfte –, mit welchen Gefühlen die ungarischen Intellektuellen die deutsche Wiedervereinigung und ihre Folgen aufgenommen haben und mit welchen Erwartungen beziehungsweise Befürchtungen sie diese beobachten. Nur am Rande möchte ich also anmerken, daß meiner Erfahrung nach die überwiegende Mehrheit der ungarischen Intellektuellen dieses Ereignis, vorsichtig ausgedrückt, bei weitem noch nicht in seiner Tragweite und Bedeutung ermessen hat, einfach, weil sie mit anderen Dingen, vor allem mit sich selbst beschäftigt sind.

Eine andere Anregung, die ich zur Gestaltung meines Vortrags erhielt, war die Frage, welche Rolle die Intellektuellen bei der Herbeiführung der Wende – oder wie wir sagen: des Systemwechsels – in Ungarn spielten. Obwohl ich nicht über den entsprechenden wissenschaftlichen Apparat verfüge, um mit einer in jeder Hinsicht befriedigenden Antwort auf diese Frage dienen zu können, empfinde ich es nicht als leichtfertig, wenn ich behaupte, daß sie eine außerordentlich wichtige Rolle spielten. Nur hat die Frage wie jede Medaille zwei Seiten, und es liegt nicht an mir, daß ich über eine Betrachtungsweise verfüge, in der beide zugleich erscheinen. Wenn ich nach der Rolle der Intellektuellen beim Umbruch des politischen Systems frage, meldet sich in mir sofort die Frage danach, welche Rolle die Intellektuellen bei der Schaffung und Aufrechterhaltung dieses Systems gespielt haben. Und diese Frage drängt sich mir um so mehr in den Blick, als es beispielsweise in meiner Generation nicht selten Intellektuelle gab, die diese beiden gegensätzlichen Rollen in einem Leben innehatten: Sie taten alles für die Schaffung ebenjenes Systems, bei dessen Sturz sie Jahrzehnte später eine herausragende Rolle spielten.

Man kann also sehen, von mir ist kaum eine wissenschaftliche Annäherung an die Frage zu erwarten. Für wissenschaftliche Betrachtungen ist ein gewisser Ernst erforderlich, über den ich nicht verfüge. Ich bin Schriftsteller, meine Betrachtungsweise hängt von meinen Stimmungen und Launen ab, sie ist mal ironisch, mal tragisch, immer subjektiv, und weit höher als jeden theoretischen Ernst schätze ich die Erfahrung. Es gibt nämlich eine Art von Ernst – und ich bin versucht, ihn geradewegs als den typischen Ernst unserer Zeit zu bezeichnen –, der den Erfahrungen überhaupt keine Beachtung schenkt, so als wolle er sie einfach nicht kennen. Ich glaube, daß in dieser extremen Abstraktion, in dem fast krankhaften Wüten des Denkens und dem damit einhergehenden totalen Mangel an Phantasie, zum nicht geringen Teil die

Ursachen für die historischen Verbrechen dieses Jahrhunderts liegen.

Doch vielleicht habe ich mich zu weit von unserem Gegenstand entfernt. Andererseits ist es eine Tatsache, daß die Erfahrung, insbesondere die existentielle Erfahrung, also die, auf die der Einzelne sein Leben gründet, suspekt geworden ist. Der Wert des Individuums ist zweifelhaft geworden, und er ist nicht nur zu etwas Zweifelhaftem gemacht worden, auch das Individuum selbst zweifelt an dem einzigartigen Wert, der ihm durch Geburt zuteil geworden ist, nämlich dem, ein Individuum zu sein. Über diese Krise lesen wir bei Wittgenstein: «Die Kultur ist gleichsam eine große Organisation, die jedem, der ihr zugehört, seinen Platz anweist, an dem er im Geist des Ganzen arbeiten kann, und seine Kraft kann mit großem Recht an seinem Erfolg im Sinne des Ganzen gemessen werden. Zur Zeit der Unkultur aber zersplittern sich die Kräfte und die Kraft des Einzelnen wird durch entgegengesetzte Kräfte und Reibungswiderstände verbraucht...» Wittgenstein erkennt ganz genau das große Dilemma des verunsicherten Intellektuellen unserer Zeit, der mangels Gott oder Kultur, das heißt eines wirklich allumfassenden Ganzen, ein künstliches Pseudo-Ganzes schaffen möchte, überzeugt von der Notwendigkeit eines jeweils radikalen Wandels, in dessen Interesse er gezwungen ist, die Welt als eine veränderbare, das heißt einfach und leicht manipulierbare zu betrachten. Nur daß die menschliche Erfahrung dem widerspricht; also muß er in erster Linie sie aus dem Weg schaffen. Diesen *theoretischen Intellektuellen* stört die Erfahrung nur, weil sie etwas ist, das er ständig aus dem Griff verliert und der Verwirklichung seiner großen Ziele unerwartete Hindernisse in den Weg legt. Für ihn ist die Erfahrung ein in jedem Winkel steckender geheimnisvoller Widerstand, ein unbegreiflicher dämonischer Geist, den es auf jede erdenkliche Weise zu bekämpfen und auszuschalten gilt. Ein bekanntes und bewährtes Mittel dazu ist die Ideologie.

Nicht zufällig stelle ich den Gegensatz von Erfahrung und Ideologie in den Mittelpunkt meiner Überlegungen. Denn es geht ja um Wirklichkeit, um das also, was die Erfahrung kennenlernen, die Ideologie beherrschen und Künstler darstellen will. In der Zwickmühle von Ideologie und Erfahrung aber scheint die Situation des Schriftstellers – zumindest bis er seine grundsätzliche Entscheidung trifft – aussichtslos zu sein. Doch in eine wirklich schwierige Situation gerät er erst, wenn eine radikale Entscheidung ihn auf die Seite der Erfahrung stellt: Vergeblich nämlich dreht und wendet er seinen Stoff, statt der Wirklichkeit sieht er nur das Konstrukt, die Struktur, in der sein Stoff, der Gegenstand seiner Darstellung – der Mensch – verlorengeht. Meinen anwesenden Schriftstellerfreunden sage ich damit wohl nichts Neues, auch sie waren gewiß beim Suchen oder Gestalten ihres Stoffes schon von diesem jede Inspiration lähmenden Schwindel ergriffen.

Eine derartige Entdeckung wirft einen leicht aus dem seelischen Gleichgewicht. Man geht wieder und wieder ans Schreiben und kann sich eines Mangelgefühls nicht erwehren. Zunächst glaubt man, daß es am Stoff liegt, dann kommt man rasch dahinter, daß der Fehler bei einem selbst zu suchen ist, daß man die Dinge einfach aus einer falschen Perspektive betrachtet, und das nötigt zur

Selbstprüfung. Man erkennt allmählich, daß man zwanghaft denkt – um einen Ausdruck der Psychologen zu gebrauchen – und daß einem der Zwang in erster Linie von außen auferlegt wird. Man muß erkennen, daß man in einer ideologisierten Welt lebt. Und das Verlangen nach Klarheit bewegt uns, aus dieser Welt der pausenlos nur sich selbst spiegelnden Perspektive herauszutreten und sich wieder der Erde, dem Himmel, dem menschlichen Los gegenüber zu finden.

Doch der Weg bis dahin ist schwer, und wer sich entschieden hat, ihn zu gehen, zahlt einen hohen Preis. Der Mensch besitzt die merkwürdige Gewohnheit, sich im Gegebenen häuslich einzurichten. Er zähmt sich die Dinge und Begriffe so wie seine Haustiere. Hauptsache, er kann sich an etwas klammern, das ihn Einsamkeit und Vergänglichkeit vergessen läßt. Ist er bereit zu paktieren, bietet ihm die Ideologie eine ganze Welt zu diesem Zweck. Eine künstliche Welt zwar, doch sie schützt ihn vor der größten Gefahr, die dem Menschen droht: der Freiheit. Ich weiß nicht, wer den Begriff «geschlossene Gesellschaft» zuerst verwendet hat, treffender aber ist eine Welt kaum zu bezeichnen, die sich in ihrer Relativität als die absolute und einzige Wirklichkeit offeriert. Wer aus dieser Welt austritt, verliert sein Zuhause. Er verliert sein Schlupfloch, seine bedrohte Geborgenheit, verliert seine stacheldrahtumgürtete Sicherheit. Er begibt sich, wenn auch nur im symbolischen Sinn, auf eine Wanderschaft, von der er nicht weiß, wohin sie ihn führt, nur eines ist gewiß: immer weiter fort von jedem möglichen Zuhause, jeder möglichen Zuflucht.

Einigen wird die Sache leichter gemacht: Ihr Geschmack, ihr Ekelempfinden, ihre hoffnungslose Klarsicht, gewisse Erfahrungen führen sie rasch und sozusagen ungewollt auf diese Wanderschaft. Obwohl auch jemand, der schon mit vierzehn Jahren die blubbernde, brodelnde Maschinerie, die mit besessener Gier schlingende Fratze des Todes von Auschwitz gesehen hat, noch zu bestechen ist. Nie werde ich den erschütternden Moment des Zweifels vergessen, der mich zum ersten Mal aus meiner Sicherheit riß. Ich war vielleicht siebzehn Jahre alt und genoß gerade die kurze Atempause zwischen der Auflösung der nazistischen Konzentrationslager und dem Einsetzen des stalinistischen Totalitarismus. Zu dieser Zeit sympathisierte ich, ich könnte sagen natürlich, mit linken Ideen. Ich las gerade ein kluges und gut geschriebenes Buch, das die Probleme der Welt ein für allemal und mit für mich überwältigenden Argumenten zwischen zwei Leinendeckeln aufdeckte und löste. Ich brauchte mich nicht länger an der Vielschichtigkeit der Phänomene zu stören, war doch offensichtlich, daß die ganze Welt nur von einer einzigen Triebfeder bewegt wird, und diese hieß Klassenkampf. Eine beglückende Ruhe, ein euphorisches Gefühl der Sicherheit erfaßten mich. Gleich darauf verdarb mir allerdings ein unangenehmer Gedanke die Laune: Der Entstehung dieses Buches war schließlich eine mehrtausendjährige Schriftkultur vorausgegangen. Ist es möglich, fragte ich mich, daß im Laufe dieser vielen tausend Jahre alle bedeutenden Schriftsteller und Philosophen irrten? Und ist es möglich, daß im Laufe kommender Jahrtausende nichts Neues mehr gedacht, nur die bekannte Wahrheit ständig wiederholt werden wird?

Gestehen wir ein, daß eine geschlossene Gedankenwelt eine überwältigende Anziehungskraft hat und daß für den Versuch, sich von ihr zu lösen – besonders, wenn physische Gefahr damit verbunden ist –, Zweifel allein nicht immer reicht. Doch was soll der Künstler tun, der, schon aufgrund des besonderen Wesens der Kunst, mit einem *bleibenden Stoff* arbeiten muß? Wenn nichts anderes, so wird gewiß diese Forderung ihn früher oder später dazu bringen, sich der Wirklichkeit der ihn umgebenden Welt zu stellen. Er muß diese Wirklichkeit, aus der er ein der Vergänglichkeit trotzendes Werk schaffen will, notwendigerweise aus peinigender Nähe in Augenschein nehmen. Und er wird notwendigerweise feststellen, daß diese Wirklichkeit sich weder zur künstlerischen Gestaltung noch zur künstlerischen Vermittlung eignet, vor allem anderen deshalb nicht, weil sie eher einem Hirngespinst als Wirklichem gleicht. Sie ist voller falscher Werte, unverständlicher Begriffe, von willkürlicher Existenz, ein Appendix undurchschaubarer Machtverhältnisse; sie beherrscht das Leben total, und in ihr ist nichts Lebendiges. Im Grunde versetzt der ideologische Totalitarismus der künstlerischen Befähigung den schwersten Schlag, andererseits erhellt sich gerade in ihrem Licht am ehesten sein absurder Charakter. Tatsächlich kenne ich kein einziges von einer totalitären Welt – sei es nun Hakenkreuz- oder Hammer-und-Sichel-Totalitarismus – inspiriertes oder handelndes Werk, das wirklich authentisch und bedeutend ist, wenn es diese Welt nicht von außen in ihrer Absurdität oder von innen aus der Perspektive des Opfers darstellt. Denn nur diese beiden Haltungen: die der zurückweisenden Utopie, vor allem aber das Sein als Opfer, überschreiten die Grenzen des Totalitarismus und verbinden dessen stumme und unerlösbare Welt mit der ewigen Welt des Menschen.

Dieser Tatbestand enthüllt jedoch zugleich den Charakter dieser Welt als einer mörderischen Welt, die sich einzig und allein als mörderische Welt darstellen läßt. Doch das klingt zu einfach. Es fehlen noch die Details, wie Iwan Karamasow sagen würde. Die Menschen interessiert ja keineswegs, wie sich diese Welt darstellen, sondern wie sich in ihr leben läßt. Eine totalitäre Ideologie überzeugt die Untertanen rasch davon, daß diese geschlossene Welt der einzig mögliche Lebensraum ist und daß sie also gut daran tun, sich dauerhaft in ihr einzurichten. Wer wäre allein dafür zu verurteilen, daß er leben will? Andererseits müssen die Bedingungen eines solchen Lebens akzeptiert und dessen Konsequenzen getragen werden: das aber läßt sich sozusagen in vollem Umfang verschieben in unbewußte Vorgänge. Zunächst einmal muß man ja diese Welt nicht so sehen, wie sie ist: Wenn wir uns mit der Ideologie befreunden, verschafft das eine gewisse Beruhigung, denn sie versichert uns unserer Ohnmacht. Zudem ist die sogenannte «unabhängig von uns existierende objektive Realität» eine Droge, die uns rasch vergessen läßt, daß wir unser Leben nicht der Diktatur verdanken und Rechenschaft dafür nicht der Geheimpolizei schulden, sondern allenfalls uns selbst. Teil eines großen Plans zu sein bedeutet einen gewissen Trost für den völligen Mangel an Gemeinschaftsgefühl, und mit der Zeit können wir uns fühlen wie Mitglieder eines Clans, einer Bande, die eine eigene Geheimsprache spricht. Man versteht uns nicht? Um so besser. Auch für die entfernte, unverständige Außenwelt haben wir eine Sprache, die uns zu einer Einheit schmiedet, die von der Außenwelt aber sehr wohl verstanden wird: Aggression und Haß.

Ich halte ein, denn diese Dinge sind sicher hinlänglich bekannt. Ich möchte nur gern begründen, was ich einleitend sagte: daß ich mich nicht berufen fühle, über die aktuellen Probleme von Intellektuellen zu sprechen. Ich habe mich eigentlich nie mit den Intellektuellen identifiziert, ich habe sogar alles darangesetzt, mich von ihnen zu unterscheiden. Ich habe mich auch in mancherlei Sentenzen versucht wie der: Der Intellektuelle ist ein Mensch, der über die Dinge reflektiert, während der Künstler Dinge *hervorbringt*. Das ist natürlich eine sehr anfechtbare Behauptung, denn auch Reflexionen können bedingungslos und existentiell sein, und es können Dinge hervorgebracht werden, die durch und durch falsch, künstlich und unauthentisch sind. Inzwischen neige ich vielleicht sogar dazu, einzugestehen, daß auch meine Abgrenzung nur eine intellektuelle Haltung ist, wofür gerade ihre Negativität spricht. Und doch begriff ich damals vor etwa fünfunddreißig Jahren, als sich in mir mit schmerzlicher Klarheit und zugleich unabweisbar die Absicht, Schriftsteller zu werden, als Lebensplan formulierte, daß ich damit austrat aus den recht und schlecht, sei es nun legal oder illegal, jedenfalls doch irgendwie funktionierenden intellektuellen Kreisen und das freiwillige geistige Exil wählte. In der Welt des oben zitierten materialistischen Axioms einer «unabhängig von uns existierenden objektiven Realität», in der vielen selbst der bare Realitätssinn abhanden kam, kam ich zu der Einsicht, daß nur eine Wirklichkeit existierte: ich selbst, und daß ich aus dieser einmaligen Wirklichkeit meine einmalige Welt erschaffen mußte. Als Folge davon konnte ich vieles nicht akzeptieren, was andere – und durchaus nicht verwerflicherweise – noch akzeptabel fanden. Und auch die meisten Intellektuellen lehnten ja diese Welt ab, wenn auch nicht unbedingt im Namen der Transzendenz. Hingegen waren Reformen eine realistische Hoffnung, es entstanden die Alternativen «von innen» oder «von außen», das heißt «dafür» oder «dagegen». Nur daß diese Alternativen damals für mich schon längst keine Alternativen mehr waren. Wie ich schon sagte, mich interessierte, im Gegensatz zur überwiegenden Mehrheit, nicht, wie es sich in dieser Welt leben, sondern wie sie sich darstellen ließ. Und die künstlerische Darstellung zeigte diese Welt ebenso wie die Erfahrung als eine zu verwerfende Welt. So bestand also die Frage «dafür» oder «dagegen» für mich nicht; meine Entscheidung lautete: weder dafür noch dagegen – außerhalb.

Man mag diesen Standpunkt elitär finden, vielleicht auch eine gewisse Intellektuellenfeindlichkeit in meinen Worten entdecken. Ich muß zunächst betonen, daß ich durchweg von einem bestimmten Typ des Intellektuellen spreche. Diesen Typ nenne ich den ideologischen Intellektuellen, weil sein Denken, das Normensystem seines Handelns, überhaupt: seine gesamte geistige Existenz, aber auch sein nacktes Dasein durchdrungen und geprägt sind von der Ideologie, in deren materieller Welt er zu leben gezwungen ist. Egal, in welchem Verhältnis er zu der Macht steht, die ihn erhält: auf jeden Fall bindet er sich an diese Macht; und außerhalb dieses geschlossenen

Machtsystems ist seine Existenz durch nichts gerechtfertigt; ich könnte ihn also auch einen von der herrschenden Macht abhängigen Intellektuellen nennen. Ferner ist, das wollen wir nicht leugnen, die geschlossene Gesellschaft, die Welt des ideologischen Totalitarismus eine explizit intellektuelle Welt. Wer sich nicht auf sie einlassen will, muß klar sehen, was ihn grundsätzlich von dieser – wie von jeder – Welt der Ideologie scheidet, und zwar deshalb, weil er die Sprache zu erhalten hat, in der das Opfer seinem Leid noch Ausdruck zu geben, seine Anklagen noch zu formulieren vermag. Das aber wird nun immer schwieriger, einfach deshalb, weil niemand da ist, zu dem sich sprechen läßt. Einst war der Mensch das Geschöpf Gottes, eine tragische, erlösungsbedürftige Kreatur. Der ideologische Totalitarismus hat dieses einsame Wesen erst zur Masse gepreßt, es dann in die Mauern einer geschlossenen Staatsordnung gesperrt, schließlich zum leblosen Bestandteil seiner Maschinerie degradiert. Es bedarf keiner Erlösung mehr, da es selbst keine Verantwortung mehr für sich trägt. Die Ideologie hat ihn seines Kosmos beraubt, seiner Einsamkeit und der tragischen Dimension des menschlichen Schicksals. Sie zwängte es in ein determiniertes Dasein, in dem sein Schicksal von seiner Herkunft, der Zuordnung zu einer Rasse oder Klasse bestimmt ist. Und mit dem Schicksal des Menschen wird es auch der Realität des Menschen, man könnte sagen, der reinen Empfindung des Lebens beraubt. Verständnislos stehen wir vor den Verbrechen, die in einem totalitären Staat möglich sind, doch wir brauchten uns bloß zu vergegenwärtigen, inwieweit an die Stelle von sittlichem Leben und menschlicher Vorstellungskraft der neue kategorische Imperativ getreten ist: die totalitäre Ideologie. Dem Künstler ist es aufgegeben, der Ideologie die menschliche Sprache entgegenzusetzen, der Vorstellungskraft Raum zu geben und an den Ursprung, die wahre Situation und das Los des Menschen zu erinnern.

Man könnte mir vorwerfen, daß ich über unzeitgemäße Fragen spreche, da ja die totalitären Systeme überall in Europa zusammengebrochen sind und die unterjochten Intellektuellen ihre Freiheit und Tatkraft wiedergewonnen haben. In der Tat haben wir das in der Euphorie des so hoffnungsvollen Jahres 1989 so gesehen, wollten es so sehen. Aber die wenigen Jahre, die seitdem vergangen sind, haben genügt, um die Intellektuellen – und hier spreche ich wieder nur von den auf dem Nährboden des Totalitarismus gewachsenen überflüssigen Intellektuellen – ihre Verlorenheit gewahr werden zu lassen. Seien wir uns darüber im klaren, daß eine bedeutende Schicht von Intellektuellen sich mit dem Verschwinden der geschlossenen Gesellschaft nicht befreit, sondern im Gegenteil *ihre Welt verloren hat*. Sie hat das große Schauspiel der Freiheit, nach dem anfänglichen Versuch, Regie zu führen und zu dirigieren, schließlich als *Zusammenbruch* erlebt. Und beim Wechseln der ideologischen Brille ist es einem derartigen Intellektuellen vielleicht zum ersten Mal passiert, daß die Realität ihm unverhüllt entgegentrat, in dem Tatbestand nämlich, daß er überflüssig geworden war. Er, der sich in den Machtlabyrinthen einer geschlossenen Gesellschaft perfekt zurechtgefunden hatte, stand plötzlich einer Freiheit gegenüber, die für ihn viel zu geräumig war, als daß er hineingepaßt hätte. Er, der perfekt gelernt hatte, mit der Geheimpolizei zusammenzuarbeiten und gleichzeitig mit hinter dem Rücken versteckten Fingern die Zeichensprache zum innig geliebten Volk fortzusetzen; er, der gelernt hatte, zwischen den Zeilen zu lesen und durch die Blume zu prophezeien, kam nun dahinter, daß Prophetie ein nicht eben gefragter Artikel auf dem großen europäischen Warenmarkt ist.

Was sollen sie mit sich selbst anfangen? Wer je mit der Macht gespielt oder ihr auch nur freiwillig als Spielzeug gedient hat, ist nicht mehr imstande, an etwas anderes zu denken, von etwas anderem zu träumen, zu reden, zu schwätzen als von der Macht. Wir verstehen nichts, wenn wir uns nur auf die kunstvollen Worte der Politologie verlassen, und werden auch bei aller Sensibilität die furchtbare, ins Krankhafte gesteigerte Existenzangst des überflüssigen Intellektuellen nicht verstehen können. Ihn quälen uralte Psychosen: Klaustrophobie, Xenophobie, paranoische Verfolgungsängste – all das, was die totalitäre Macht und die Kompromisse, die er mit ihr schloß, selbstverständlich in ihm zur Entfaltung brachten. Zu alledem gesellt sich nun noch die plötzliche Ausweitung des Raumes, das Gefühl, verlassen und allein zu sein. Alle haben sich gegen ihn verschworen, zerstören seine Nation, seine Klasse – er, er allein kennt das erlösende Wort, doch niemand hört mehr auf ihn. Und obendrein spricht man ihm noch seine bis jetzt unbestrittenen Vorrechte und Privilegien ab. Man betreibt den Ausverkauf seines Landes, spielt es Fremden in die Hände, ja Fremde üben bereits die Macht aus. Der Begriff des Fremden spielt in seinen Vorstellungen eine besonders wichtige Rolle, ist er doch in der völlig neuen Situation, die dadurch gekennzeichnet ist, daß sie ihn mit Herausforderungen konfrontiert, die rein rationale Antworten und Handlungsweisen verlangen, selbst ein Fremder geworden. Er, der überflüssige Intellektuelle, ist darauf nicht vorbereitet, er ist daran gewöhnt, daß jede wirkliche Frage, die auf eine Lösung drängt, mit dem Schlachtbeil der Ideologie erschlagen wird.

Ich glaube, ich bin am Ende dessen angelangt, was ich zu sagen habe. Es war der, wenn auch unvollständige und unzulängliche, Versuch, einen Typus zu skizzieren, in dem sich nach meinem Empfinden die Krise unserer Zeit manifestiert. Es ist die große Frage, die uns alle plagt, und wie alle wirklich wichtigen, vitalen Fragen ist es eine ganz einfache Frage. Sie lautet: Individuum oder Masse, geschlossene Gesellschaft oder offene Demokratie, Totalitarismus oder Freiheit – letzten Endes: Leben oder Tod. Es scheint, daß diese Frage heute eine universale ist. Wie ich schon an anderer Stelle gesagt habe, verlaufen in unserer modernen – oder postmodernen – Welt die Grenzen nicht so sehr zwischen Volksgruppen, Nationen, Konfessionen, als vielmehr zwischen Weltanschauungen, Welthaltungen, zwischen Vernunft und Fanatismus, Toleranz und Hysterie, Kreativität und zerstörerischer Herrschsucht. Ich sage nicht, daß die Frage nicht auch eine historische Dimension hätte, doch die Antwort empfinde ich trotzdem als offen, und nach meiner Auffassung werden sich in ihr die tatsächliche Lebenskraft, die Fähigkeit und das Vermögen, standzuhalten und fortzubestehen, ebenso wie historische Determinanten niederschlagen.

Deutsch von Kristin Schwamm

Ein langer, dunkler Schatten

Als man mich bat, eine kurze Darstellung über die Projektion des Holocaust in der ungarischen Literatur zu geben, wird man sich wohl darüber im klaren gewesen sein, daß von mir kaum eine mit Statistik vollgepackte literaturwissenschaftliche Abhandlung zu erwarten ist. Natürlich wäre nichts leichter, als die ungarischen literarischen Werke zusammenzustellen, aufzuzählen und zu bewerten, die direkt oder indirekt unter dem Eindruck des Holocaust entstanden sind oder den Holocaust in irgendeiner Weise reflektieren. Doch damit ist meines Erachtens das Problem überhaupt nicht erfaßt. Das eigentliche Problem ist die Phantasie, das Vorstellungsvermögen. Genauer gesagt, die Frage, in welchem Maß die Phantasie fähig ist, sich mit dem Faktum des Holocaust auseinanderzusetzen, inwieweit sie fähig ist, dieses Faktum aufzunehmen, und inwieweit der Holocaust durch die rezipierende Imagination zum Bestand unseres ethischen Alltags, unserer ethischen Kultur geworden ist. Denn ebendarum geht es, und wenn wir über Literatur und Holocaust sprechen, müssen wir davon sprechen.

Vielleicht sollten wir anfangs klären, ob die Literatur überhaupt dazu beiträgt, daß wir uns den Holocaust vorstellen vermögen und daß diese Vorstellung in der geistigen Welt des im weitesten Sinn verstandenen europäischen, das heißt in der westlichen Zivilisation lebenden Menschen, verankert und zum unabdingbaren Bestandteil seines Mythos werden kann. Ich denke, die Frage enthält bereits die Antwort: Solange der Mensch träumt – egal, ob es schlechte oder gute Träume sind –, solange der Mensch Urgeschichten, Weltmärchen, Mythen hat, so lange wird es auch Literatur geben, was und wieviel auch immer über die Krise der Literatur geredet wird. Die wirkliche Krise ist das völlige Vergessen, die Nacht ohne Traum: dort aber sind wir noch nicht angelangt. Wir alle kennen wahrscheinlich den bekannten Ausspruch Adornos, man könne nach Auschwitz keine Gedichte mehr schreiben. Ich würde ihn, in einem ebenso weiten Sinn, so modifizieren, daß man nach Auschwitz nur noch über Auschwitz Gedichte schreiben kann.

Allerdings ist es – andererseits – ganz und gar nicht leicht, über Auschwitz Gedichte zu schreiben. Es besteht da ein ungemein schwerer Widerspruch: Vom Holocaust, dieser unfaßbaren und unüberblickbaren Wirklichkeit, können wir uns allein mit Hilfe der ästhetischen Einbildungskraft eine wahrhafte Vorstellung machen. Die Vorstellung des Holocaust an sich hingegen ist ein so ungeheuerliches Unterfangen, eine so erdrückende geistige Aufgabe, daß sie die Belastungsfähigkeit derer, die damit ringen, meist übersteigt. Weil er stattgefunden hat, fällt die Vorstellung von ihm schwer. Anstatt Spielzeug der Einbildung zu sein – wie erfundene Gleichnisse, literarische Fiktionen –, erweist sich der Holocaust als eine schwere und unbewegliche Last, so wie die berüchtigten Steinquader von Mauthausen. Die Menschen wollen nicht daran zerschellen. Gehäuft sind die Bilder vom

Mord frustrierend und ermüdend: Sie bewegen die Phantasie nicht. Und wie kann der Greuel Gegenstand des Ästhetischen sein, wenn er wirklich ist und nichts Originäres enthält? Statt eines paradigmatischen Todes können die nackten Tatsachen nur mit Leichenbergen aufwarten.

Wir sehen also, wir können vom Holocaust einzig durch die ästhetische Einbildungskraft eine Vorstellung gewinnen. Genauer gesagt ist das, was wir uns auf diese Weise vorstellen, nicht mehr allein der Holocaust, sondern die sich im Weltbewußtsein widerspiegelnde ethische Konsequenz des Holocaust, jene schwarze Trauerfeier, deren dunkles Leuchten – wie es scheint – nunmehr unauslöschlich in der universalen Zivilisation weiterbrennt, die wir als die unsere betrachten und der wir angehören. Unsere nächste Frage ist also, inwieweit der ästhetische Geist, die Literatur an sich, eine relevante Vorstellung vom Holocaust geschaffen hat.

Wie in vielen anderen Sprachen wurden auch auf ungarisch maßgebende Werke über den Holocaust hervorgebracht, aber es wurden auch zahlreiche weniger wichtige, anekdotische, partikuläre, unbedeutende Werke hervorgebracht. Viel interessanter ist jedoch, wie diese Werke gelesen und verstanden wurden. Nun, seit 1948, dem schlagartig einbrechenden sogenannten «Wendejahr», wurde es von der Diktatur nicht gern gesehen, wenn der Holocaust erwähnt wurde, und da sie es nicht gern sah, hat sie solche Stimmen auch sozusagen restlos zum Schweigen gebracht. Ich könnte natürlich die Geschichte solcher Erstickungen durch die Diktatur skizzieren, ehe sie sich endlich gezwungen sah, allmählich nachzugeben, ja, bis sie so um die Mitte der 80er Jahre beinahe schon angefangen hätte zu lernen, wie diese Frage zu manipulieren wäre – wäre nicht unterdessen das System zusammengefallen. Bislang habe ich noch keine einzige akzeptable Erklärung dafür gehört, warum das Sowjetregime und die angeschlossenen Diktaturen sozusagen schon das bloße Wissen über den Holocaust nicht ertrugen. Warum sich die stalinistische Diktatur gerade – auch – in dieser Frage mit dem Nazi-Totalitarismus gleichsetzte, schien zu offenkundig, als daß man eine Erklärung dafür gesucht hätte. Stalin behielt sich dadurch quasi das Recht auf den eigenen Völkermord vor: Er konnte nicht wollen, daß in seinem Reich womöglich ein Mitgefühl für eventuelle spätere Opfer geweckt würde. Obgleich das stimmen mag, halte ich es doch nicht für eine befriedigende Erklärung. Aber gehen wir einen Schritt weiter: Später, als Stalin schon tot war und damit der sogenannte «Zionisten-Prozeß» von der Tagesordnung genommen, warum wurde da weiterhin in den osteuropäischen Diktaturen – so auch in Ungarn – der Diskurs und das Wissen vom Holocaust als «heikles Thema» apostrophiert? Dafür läßt sich schon schwerer eine Erklärung finden. Im Grunde ist auch gar keine Erklärung möglich, wenigstens nicht für den gesunden Menschenverstand, nicht einmal auf der Ebene irgendwelcher grotesker Zweckdienlichkeit. Zwar wurden Anti-Israel-Argumente vorgeschoben; tatsächlich aber machten wir die Erfahrung, daß gerade in den Jahren nach dem Krieg von 1967 die Dämme des Tabus zu brechen begannen, und in Ungarn war die Staatsmacht gleichsam bestrebt zu demonstrieren, daß sie das Judentum der Diaspora anders beurteilte als Israel, direkt gesagt, sie gab die Garantie, daß die hier lebenden Juden nicht als Geiseln betrachtet wurden; zugleich stellte sie die ungarischen Juden damit natürlich gleichsam auch unter Bedingungen, namentlich die, daß sie sich mit Israel nicht solidarisch zu fühlen hatten. Das erscheint fast schon wie eine Erklärung aus Gründen der Staatsräson, ebenso wie die, man habe das Bewußtsein der Ungarn – sozusagen – vor der Konfrontation mit dem Holocaust bewahren wollen. Ich brauche nicht zu sagen, daß die letztere Erklärung nur von einer Staatsmacht ausgedacht werden konnte, die – auch wenn sie sich noch so mit dem Gewand des Neonationalismus schmückt – in Wahrheit mit der Nation, mit dem Volk nichts zu tun hat. Denn die wahren geistigen Führer des ungarischen Volkes, die wahre ungarische Elite, István Bibó zum Beispiel, dachte diametral entgegengesetzt. Bibós großartige Studie zeigt, daß er sehr wohl der Meinung war, man müsse das Bewußtsein der Ungarn mit der Tatsache des Holocaust als eines unabdingbaren Teils der geistigen Erziehung nach 1945 konfrontieren. István Bibó aber war nicht nur einer der größten ungarischen Denker der letzten Jahrzehnte, sondern gleichzeitig auch – und beides hängt eng zusammen – ein europäischer Geist.

Jetzt sind wir dem Rätsel des Tabus vielleicht schon ein wenig nähergekommen. Europa und der Holocaust, der Holocaust und das europäische Bewußtsein gehören irgendwie zusammen. Ich habe vor etwa eineinhalb Jahren einen kurzen Vortrag über «Die Unvergänglichkeit der Lager» gehalten. Darin bin ich der Frage nachgegangen, warum und wie Auschwitz und alles, was zu seiner Begriffswelt gehört, inzwischen zu einem unabdingbaren Bestandteil des europäischen Mythos geworden ist. Ich habe dargelegt, daß der Holocaust in seiner kathartischen

Entfaltung – deren erschütterte Zeugen wir seit Jahrzehnten sind – nicht trennt, sondern vereint, weil das
Universelle des Erlebnisses immer stärker ans Licht tritt.
Und damit stoßen wir auf die Erklärung, warum die Diktatur sich die Tatsache des Holocaust vom Leibe hielt,
warum sie diesen Tatsachen nie ins Auge blicken wollte:
weil diese Gegenüberstellung gewissermaßen auch eine
Selbstprüfung, die Selbstprüfung Läuterung, die Läuterung wiederum Erhebung und wahre Anbindung an das
geistige Europa bedeutet. Die Diktatur aber wollte die
Entzweiung und die Festigung dieser Entzweiung, weil
sie ihren Zwecken dienlich war.

Nun denn, wir sehen, wie sich das Grauen des Holocaust zu einem universellen Erlebnisfeld ausweitet,
würde ich nicht befürchten, mißverstanden zu werden,
würde ich sagen, zu einer Kultur – so wie Freud den
Ursprung der höchsten ethischen Kultur, des Monotheismus, an den Urvatermord knüpft. Wir sehen, wie man
versuchte, die Wirkung des Holocaust im geistigen Leben Ungarns zu unterdrücken, und wir haben gesehen,
wie die Diktatur, als ihr bewußt wurde, daß dies unmöglich war, diese Wirkung zu manipulieren und sich
zunutze zu machen suchte. Zunächst hatte man versucht, sie zu unterdrücken, dann zu einer eingegrenzten
«jüdischen Sache» zu degradieren, von der Nation höchstens mit einem gewissen distanzierten Bedauern betrachtet; später konnte man nicht umhin, die Unverjähr-
barkeit der Tragödie zur Kenntnis zu nehmen – und
schon versuchte man, die Wirkung des Holocaust in die
eigenen weltpolitischen Strategien einzubetten. Wenn
auch im negativen Sinn, so doch jedenfalls zu Recht.

Denn – und das halten wir hier fest: der Holocaust ist ein universales Erlebnis.

Lassen Sie mich eine erschütternde Betrachtung von Manés Sperber aus dem Essay «Churban oder Die unfaßbare Gewißheit» zitieren: «Der Nazismus überraschte das Judentum in einem Zustande, in dem es nicht mehr willens und keineswegs darauf vorbereitet war, für Gott zu sterben. So geschah's auf christlicher Erde zum ersten Male, daß man sich rüstete, Juden in Massen zu töten – ohne Berufung auf den Gekreuzigten. Und zum ersten Male sollten die Juden Europas für nichts, im Namen von nichts sterben. Keine nekrologische Begeisterung kann diesen Sachverhalt aus der Welt schaffen, nichts das unglückliche Bewußtsein heilen, das ihn stets widerspiegeln und niemals ändern wird.» Worte von tiefer Wahrheit. Doch es scheint, als sei im Lauf der dreißig Jahre, die seit dem Erscheinen von Sperbers Essay verstrichen sind, langsam auch die Kehrseite dieser Wahrheit zum Vorschein gekommen.

Die Juden, das ist richtig, sind nicht für ihren Glauben gestorben, und die Juden, das ist richtig, wurden nicht im Namen eines anderen Glaubens ermordet. Der Totalitarismus ermordete sie, der totalitäre Staat, die totalitäre Parteimacht – das verheerender als der verheerendste Glaube wütende Ungeheuer, die Seuche, die Pest dieses Jahrhunderts. Der Totalitarismus ist die große Neuheit dieses Jahrhunderts, diese ungeheuerliche, bis in die Grundfesten erschütternde Erfahrung – doch was erschütterte sie eigentlich? Alles, vor allem aber unsere ganzen traditionellen, rationalen Vorstellungen vom Menschen. Der Totalitarismus exiliert den *Menschen* von sich selbst und setzt ihn außer Recht. Aber vielleicht kann gerade dieses Außerrechtgesetztsein: dieser auch ungewollt märtyrerhafte Massentod dem Menschen von neuem ins Gedächtnis holen, wessen er beraubt wurde, die Grundpfeiler seiner Kultur und Existenz, das Gesetz. Ich kann es nicht genauer formulieren, als ich es bereits an anderer Stelle formuliert habe: Der Rauch des Holocaust hat einen langen, dunklen Schatten auf Europa geworfen, während seine Flammen unauslöschliche Zeichen in den Himmel brannten. In diesem Schwefellicht erneuerte der Geist der Erzählung die in Stein gemeißelten Worte; in dieses bedrückende neue Licht hat er nun die uralte Geschichte gestellt und aus dem Gleichnis Wirklichkeit werden lassen.

Ich wiederhole, der Holocaust ist ein universales Erlebnis – und auch das Judentum ist heute ein durch den Holocaust erneuertes universales Erlebnis. In einem meiner Romane nannte ich es eine geistige Existenzform. Was ist darunter zu verstehen? Ich muß kaum daran erinnern, daß das Judentum ursprünglich als moralische Kultur zu Ruhm kam: Es hat der Welt den Monotheismus geschenkt. Judesein: das ist nach meiner Ansicht heute wieder in erster Linie eine ethische Aufgabe. Es bedeutet in meinen Augen Treue, Bewahrung und Memento: Mene, tekel, upharsin an die Wand jeder totalen Unterdrückung. Das Judentum als universale Erfahrung war gezwungen, ein schwerlastendes Wissen zu erwerben, ein Wissen, das im europäischen, im okzidentalen Bewußtsein nicht mehr auslöschbar ist, zumindest solange dieses Bewußtsein ist, was es ist, das heißt ein auf die Ethik der Erkenntnis gegründetes Bewußtsein.

Im Sinne des hier Gesagten möchte ich schließlich noch anmerken, daß es mir schwerfällt, mich mit dem Titel anzufreunden, den diese Konferenz trägt: «Ungarisch-jüdische Koexistenz». Selbst wenn das in Ungarn lebende Judentum eine Ethnie wäre, was es nicht ist, auch dann wäre es nötig, genauer zu formulieren. Denn in unserer modernen – oder postmodernen – Welt verlaufen die Grenzen, so scheint es, nicht so sehr zwischen Ethnien, Nationen und Glaubensgemeinschaften als vielmehr zwischen universalen Auffassungen, universalen Formen des Umgangs, zwischen Ratio und Fanatismus, Toleranz und Hysterie, Kreativität und zerstörerischer Herrschsucht. Mit Rassisten und Faschisten, welcher Ethnie, Nation oder Glaubensgemeinschaft sie auch immer angehören, läßt es sich in jedem Fall schwer zusammenleben. Denen, die heute das gleiche Feuer entfachen möchten, in dem sechshunderttausend ungarische Juden den Tod fanden, könnte es nicht schaden, sich zu erinnern, daß die gleichen Flammen – der Krieg und seine Folgen – auch Ungarn fast vernichtet haben. Und wenn über den Anschluß an Europa geredet wird, könnte es ebensowenig schaden zu wissen, daß Europa nicht nur gemeinsamer Markt und Zollunion, sondern auch gemeinsamer Geist und Mentalität bedeutet. Und die an diesem Geist teilhaben wollen, müssen neben vielem anderen auch durch die Feuerprobe der moralischen-existentiellen Auseinandersetzung mit dem Holocaust gehen.

Deutsch von Géza Déreky

Free Europe

«Heimatbriefe» für den Sender Freies Europa

Erster Brief

Ostern – das bedeutet für mich die «Johannespassion» oder «Parsifal». Nicht des Osterfests wegen, sondern wegen der Werke selbst. Diesmal sah ich den «Parsifal», und ich muß hinzufügen, ich wohnte einer wundervollen, inspirierten Aufführung bei. So trat wenigstens in der Oper die Feier in Erscheinung, der Reiz des Karfreitags, um es stilvoll zu sagen, der draußen in der Stadt nur noch in den gewohnten Strapazen einer zwei-, ja dreitägigen Arbeitsunterbrechung besteht. Mit der Qual der Besorgungen, noch spärlicher als am Werktag eingesetzten Verkehrsmitteln und der bunt gemischten, nicht gerade vertrauenserweckenden Menge, die durch die sowieso schon schmutzigen und durchaus nicht mehr sicheren Straßen strömt, unter ihren Füßen das Knirschen von Splittern und Scherben weggeschmissener Bier- und Schnapsflaschen, zertrümmerter Telefonzellen und all dessen, was sich einer alles zertrümmernden Wut überhaupt an Zertrümmerbarem bietet.

Doch lassen wir die Stadt, diesen «vorzeitigem Verfall preisgegebenen, von Luftverschmutzung überzogenen, durch allen möglichen Dreck, Diebstähle, Langversäumtes, sich in die Ewigkeit hinziehende Provisorien und eine von Zukunftslosigkeit geprägte Gleichgültigkeit zugrunde gerichteten» Gebäudehaufen – um meine eigenen Worte aus einer meiner jüngsten Arbeiten zu zitieren. Betrachten wir lieber ihre Feiertage. Was feiern wir an unseren Feiertagen? Ich will jedoch weder davon sprechen, daß wir gut vierzig Jahre lang nur Feiertage absaßen, deren moralischer Gehalt in der mit dem nötigen Zynismus ausbalancierten Selbstverleugnung bestand und deren praktischer lediglich die bezahlte Arbeitsunterbrechung war, noch davon, daß aus den einst verbotenen und nun wieder als offiziell ausgegebenen Festtagen auf einmal der Sinn entwichen zu sein scheint und die alten Erster-Mai- und Siebter-November-Feiern mit ihren prallen Phrasen und den bekannten Massenszenen nostalgisch grüßen.

Ich möchte vom wahren *Feier*tag sprechen. Von dem, an dem wir einen Moment lang innehalten und verstummen, um uns vom Geist durchdringen zu lassen, den ich kurz den Sinn unseres Lebens nennen würde, den Geist der Kultur, des Mythos. «Ja, aber welche Art von Mythos erlebt der Mensch heute?» fragte Carl Gustav Jung, der große Wissenschaftler. Und daran ist zu erkennen, daß dieses Problem, das Problem des Mythos, ein weiterreichendes ist. Es ist zu einem Gemeinplatz geworden, daß wir in einem ideellen Vakuum leben, daß kein höherer Geist mehr unsere Schritte bestimmt, daß wir vergebens in uns hineinhorchen und weder die Worte des sokratischen Daimonion noch die Stimme unseres Schutzengels vernehmen. Wir dürfen mit Mephisto sagen: «Wo bin ich denn? Wo willst du hinaus? / Das war ein Pfad, nun ists ein Graus. / Ich kam daher auf glatten Wegen, / Und jetzt steht mir Geröll entgegen. / Vergebens klettr ich auf und nieder, – / Wo finde ich meine Sphinxe wieder?» Für wahr, das Rätselwesen hat sich vor uns versteckt; und heute, da wir inmitten lauter unlösbarer Rätsel leben, ja solcher, die nur in Gestalt plötzlich ausbrechender Katastrophen wahrnehmbar sind, scheint es, daß wir im Schatten des Mythos-Mangels oder umgekehrt, so vieler ungewollter Mythen nichts haben, das uns Kopfzerbrechen macht. Es sei denn, unsere wirtschaftlichen Sorgen. Vor gut zehn Jahren notierte ich in meinem Tagebuch: «Hat man denn bemerkt, daß – was den Mythos angeht – inzwischen auch Ökonomie und Technik sich in einen Mythos, eine Gottheit, ja in eine Religion verwandelt haben, auch wenn ihnen die Transzendenz fehlt? Das behindert sie, wenn auch nicht sicher ist, ob sie allein davon schon zu Mördern werden.» Diese Eintragung ist offenbar das Resultat eines verbitterten Augenblicks – doch alles nur als ein wirtschaftliches Problem anzusehen, jedes Problem für allein wirtschaftlich lösbar zu halten, ist eine wirklich mörderische Sicht, eine geistige Neutronenbombe, die den Körper unversehrt läßt und einzig die Seele tötet.

Aber zurück zu «Parsifal»: 35 Jahre lang schwärmte ich für Wagner und hatte, da ich in Budapest lebte, bis 1980 «Parsifal» noch nicht gesehen. Und auch dann sah ich ihn natürlich nicht in Budapest, sondern im maueumgürteten Ost-Berlin, wo ich mich gerade als sogenannter Stipendiat aufhielt. Es war ein schwüler Sommertag, im Zuschauerraum der Staatsoper herrschten mindestens 30 Grad. Das Publikum war international, viele waren zu diesem Anlaß mit einem nur wenige Stunden geltenden

Passierschein aus West-Berlin gekommen. Ich sah Nonnen, amerikanische Offiziere und Damen aus Frankreich. Und natürlich Ortsansässige, die eine Karte erwischt hatten – denn eine «Parsifal»-Aufführung zählte auch in Ost-Berlin zu den Seltenheiten.

Ich kann diesen Abend einfach nicht vergessen. Die Kulissen waren die herkömmlichen, massiven Wagner-Kulissen, nichts von Andeutung, nichts von Verfeinerung. In den Tempelszenen setzte man ein so gewaltiges Kreuz auf die Bühne, daß es auch im gegenüberstehenden Dom seinen Platz hätte behaupten können. Schon im zweiten Bild des ersten Aktes, ganz besonders jedoch in der letzten Szene des dritten forderte der Chor der Gralsritter mit so zorniger Leidenschaft von König Amfortas, der sich in den Qualen seiner Wunden wand, den Kelch zu heben und sie damit am erlösenden himmlischen Mahl teilnehmen zu lassen, daß es fast schon einem offenen, allgemeinen Aufruhr gleichkam. Im Zuschauerraum gab es nicht enden wollenden frenetischen Beifall.

Da ergriff mich die Verzückung des Mythos. Obwohl – oder vielleicht gerade weil ich mir darüber im klaren war, daß die Begeisterung nicht unmittelbar dem im «Parsifal» wiedererweckten Mythos, sondern vielmehr dem Mythos der «Parsifal»-Aufführung an sich galt und auf die quälende Lage zurückzuführen war. Ähnlich wie bei jenem gewissen Bartók-Abend von 1955 – oder vielleicht 1956? – in der Budapester Oper, dem auch ich das Glück hatte beizuwohnen. Auch dort galt der ausbrechende Jubel mehr oder *auch* mehr als der wunderbaren Aufführung und den noch wunderbareren Werken: Er galt der Heimkehr Béla Bartóks, und er galt vor allem jenem

Geist, von dem damals die ganze Gesellschaft so tief durchdrungen war und der unaufhörlich nach Bestätigung, wirklich hochherziger Bekräftigung, nach Glorifizierung lechzte.

Ja, es scheint, als ob der Mythos heute, am Ende des Jahrhunderts, ja, Jahrtausends allenfalls noch ein Kind der Not sein kann. Des Hungers, unerträglichen Dursts bedarf es, um ihn – wie die Quelle mit dem Zauberstab – plötzlich wieder hervorsprudeln zu lassen.

Oder drehen wir den Satz um: Wenden wir uns in Zeiten von Hunger und unerträglichem Durst auch heute immer noch dem Mythos zu? Lebt also die Sehnsucht nach dem wahren Fest, der kathartischen Feier noch in uns? Wir müßten aber, um daran teilzuhaben, immer einen schrecklich hohen Preis entrichten?

Aber wir wollen die vorhin schon zum Bahrgericht bestellte Sphinx, die sich vor uns versteckt hat, nicht länger mit Fragen behelligen. Es ist spät geworden – gute Nacht.

Zweiter Brief

Lassen Sie mich da fortsetzen, wo ich beim letztenmal endete. Ich zitierte die Frage von Jung: Welche Art von Mythos aber erlebt der Mensch heute? – Den Mythos des Christentums, könnten wir sagen, fährt er fort, um sich dann selbst zu fragen: Erlebst du in ihn? – Wenn ich ehrlich bin, nein, antwortet er darauf und bohrt weiter: Aber was ist dann dein Mythos? Der Mythos, den du erlebst? – Aber schon davon war ich unangenehm berührt, setzt er hinzu, ich führte den Gedanken nicht weiter: Ich war an eine Grenze gestoßen.

Was fängt jenseits dieser Grenze an? Das Nichts? Oder ein neuerer Mythos? Oder vielleicht: ein neuer Mythos, dessen Mythenhaftigkeit wir erst erkennen, wenn er sich mit dem alten verknüpft auf jene rätselhafte Weise, in der Mythen hervortreten und sich ineinander verflechten?

Eine Zeitlang war ich mir so sicher, daß ich – ohne eigenes Wollen und durchaus nicht zu meinem eigenen Ruhm (wenn, dann zu meiner eigenen Schmach) – den neuen oder zumindest einen neuen Mythos erlebe, daß ich in meiner großen Gewißheit schon niederzuschreiben wagte: «Auschwitz und was dazugehört (aber was gehört jetzt schon nicht mehr dazu?) ist das größte Trauma des europäischen Menschen seit dem Kreuz, auch wenn es vielleicht Jahrzehnte oder Jahrhunderte braucht, bis er sich dessen bewußt wird.»

All das kommt mir jetzt in den Sinn, weil es am gestrigen 11. April gerade sechsundvierzig Jahre her ist, daß ich aus dem Konzentrationslager Buchenwald befreit worden bin. Damals dachte ich in keiner Weise an einen Mythos. Dennoch, der Wind der Weltnachricht wehte schon am Abend des nächsten Tages um mich. Der Lautsprecher, durch den bis dahin die Befehle der SS geknattert hatten, übertrug jetzt die Abendsendung der BBC. Selbst mit meinem Anfänger-Englisch begriff ich, wie es in die Welt hinausgeschickt wurde: Alliierte amerikanische Truppen haben das Konzentrationslager Buchenwald in der Nähe von Weimar befreit. Auf meinem Strohsack liegend, erfaßte mich ein seltsames Schwindelgefühl. Es war so, als ob man der zivilisierten Welt mitgeteilt hätte, daß – sagen wir – Kapitän Cook den sechsten Kreis der Hölle entdeckt hat, wo in Kesseln mit siedendem Pech tatsächlich lebendige Menschen gekocht werden. Mit einem Mal sah ich mein Leben in einem anderen Licht. An der moderat entrüsteten Stimme des Nachrichtensprechers konnte selbst ich mit meinem stark unterernährten Hirn erkennen, daß mir Unrecht widerfahren war. Meine Ermordung beziehungsweise daß ich dazu bestimmt war, war – wenigstens dem Londoner Sender zufolge – nicht die Folge geschichtlicher Notwendigkeit und einer aus einer unwiderruflichen, universellen Ratio hergeleiteten Logik, wie ich es bis dahin, sowohl im Lager als zuvor, im großen und ganzen geglaubt hatte.

Ich war also bei der Entstehung des neuen Mythos zugegen. Wie unbeholfen er ins Licht trat! Am Anfang fand noch niemand die richtigen Worte, die richtigen Handlungen. Die amerikanischen Soldaten erstaunten mich. Ich hatte bis dahin nur die zerlumpte, klägliche ungarische Armee, die hahnenfedergeschmückte, nach Blut, Schnaps und Dreck stinkende Gendarmerie und die trotz allem dünkelhaften Auftreten entbehrungswilligen deutschen Soldaten gekannt. Diese gut genährten, weißgamaschigen, sich ungezwungen benehmenden Soldaten aus Übersee hatten offenbar keine Ahnung, woraus ein Konzentrationslager gemacht war. Sie suchten ihre Unwissenheit ständig durch zwanghafte Mildtätigkeit zu kompensieren. Ich kam langsam wieder auf die Beine, die Kräfte kehrten zurück, ich ging bereits in den Wald spazieren. Auf dem Weg eilte ein amerikanischer Soldat an mir vorüber. Ich sah, wie er stehenblieb und seine sämtlichen Taschen abtastete. Schließlich riß er sich in Ermangelung von etwas Besserem die soeben angerauchte Chesterfield aus dem Mund und reichte sie mir. Ich war fünfzehn Jahre, ich rauchte nicht, noch immer wurde mir schwindlig vor Schwäche. Die Verlegenheit der Situation jedoch bewirkte, daß ich nach der Zigarette griff und so tat, als zöge ich gierig daran – das verlangte die Höflichkeit.

General Patton, vielleicht auch Oberbefehlshaber Eisenhower selbst, hatte angeordnet, prominente Bürger aus Weimar in Gruppen in das nahe ihrer Stadt errichtete Lager zu führen, damit sie sahen, was dort in ihrem Namen verübt worden war. Hinter dem Drahtzaun des Krankenhausbezirks stehend sah ich, wie die Damen und Herren mit Entsetzen vor einem frischen Massengrab zurückschreckten, in dem wie Holzscheite zu Haufen übereinandergeworfene und mit Löschkalk übergossene Leichen lagen. Mit Händen und Füßen bedeuteten sie den um sie herumstehenden amerikanischen Offizieren, sie hätten nichts gewußt. Die Frage hat sich seitdem fast zu einer universellen ausgeweitet. Meiner Ansicht nach haben sie nicht gelogen. Während des achtjährigen Bestehens des Lagers mußten sie Tag für Tag die zur Arbeit hinausgetriebenen Gefangenen und das physische und psychische Elend dieser Gefangenen gesehen haben; sie hatten hören können, wie die Bewacher mit ihnen redeten – also haben sie doch alles gewußt; auf der anderen Seite nahmen sie dieses Wissen einfach nicht zur Kenntnis – also haben sie doch nichts gewußt. Wie so etwas möglich ist, wäre Gegenstand eines Extrabriefes. Diejenigen, die in einem totalitären System gelebt haben, werden jedoch mit Sicherheit verstehen, wovon ich spreche.

Man hat mir damals angeboten, mich in einer schwedischen oder Schweizer Einrichtung wiederherzustellen oder in Amerika zu studieren. Doch ich wollte heimkehren. Als würde ich unbewußt dem epischen Urmythos folgen, dessen Grundmotiv, wie wir wissen, die Heimkehr des Helden nach vielerlei Prüfungen ist. Auf einem amerikanischen Armeelastwagen wurden wir bis an die Grenze der sowjetischen Zone gebracht: von hier an – hieß es unheilvoll – übernehme man keine Verantwortung mehr für uns.

Wir stiegen vom Lastwagen und passierten die Zonengrenze zu Fuß. In der sommerlichen Dämmerung öffnete sich vor mir ein grüner Hang, den sanften antiken Gefilden vergleichbar. Im grünen Gras standen wie dicht gesprenkelte Farbkleckse Kessel, und an jedem Kessel hockten fünf Soldaten in gelben Uniformen. Fünf Hände, fünf Löffel hoben und senkten sich in rascher Abfolge an jedem Kessel, löffelten Gemeinschaftssuppe aus Gemeinschaftskübeln. Für ein an die Essenseinnahme amerikanischer Soldaten gewohntes Auge im ersten Moment ein kurioser Anblick. Ich stand wie gebannt und starrte auf das Bild, das sich vor mir ausbreitete. Ich könnte nicht sagen, völlig befremdet, aber doch mit einer dunklen Vorahnung. So als hätte ich kurz in meine Zukunft geblickt.

Doch da beginnt schon ein neuer Mythos. Oder setzt sich nur der frühere fort? Ich weiß nicht. In meinem späteren Leben, das in einem gewissen Sinn als Fortsetzung meines Lagerlebens anzusehen ist, überkam mich jedoch mitunter das Gefühl, als stünde ich noch immer dort, am Fuße jenes Hügels, und starrte gebannt und hilflos auf das sich vor mir ausbreitende Bild.

Noch immer, selbst heute noch, hält sich eine letzte Zuflucht in diesem Land, wo der Schriftsteller, wenigstens für ein paar Wochen jährlich, tatsächlich wie ein Schriftsteller leben kann. Ich spreche vom Künstlerhaus in Szigliget. Ein heruntergekommenes ehemaliges gräfliches Schloß, sowohl Gebäude wie Garten seit langem erneuerungsbedürftig – doch behüte Gott, daß wir aus Anlaß der Renovierung auch nur für wenige Monate darauf verzichten müßten. Hier wird der Schriftsteller nicht durchs Telefon belästigt, kann er seine familiären oder materiellen Sorgen für eine Zeitlang ablegen, bleibt er verschont von den Umweltbeschädigungen der Großstadt, vielerlei physischem und geistigem Dreck. Wenn es ihm gefällt, kann er, eingesperrt in sein Zimmer, auf seine Schreibmaschine einhämmern oder sich im Park und auf den umliegenden Hügeln ergehen, versunken in abstrakte oder auch sehr konkrete Grübeleien, gegebenenfalls der zum letzten Mal vielleicht in seiner Jugend genossenen Leseleidenschaft frönen, wie es mir selbst im Januar dieses Jahres geschah. So habe ich Gyula Krúdys Roman «Asszonyságok díja» (Der Weiblichkeitspreis) gelesen.

Ich weiß nicht, welcher Fluch über dem geistigen Leben Ungarns liegt, daß wir beispielsweise auch Gyula Krúdy nur so mangelhaft, man könnte auch sagen, einseitig kennen. Aber es fällt auch leicht, Krúdys Nostalgie als simple Romantik oder verworrene gesellschaftliche Verbitterung einzustufen. Ebenso leicht, wie eine Art Gulasch- und Markknochenspezialisten in ihm zu sehen, einen Weinliebhaber und Frauennarren, einen Meister der Gleichnisse und Anekdoten.

Vielleicht hatte das Vorurteil auch bei mir seine Wirkung getan, jedenfalls kam mir Krúdy ziemlich spät in die Hände. Aber schon in den Sindbad-Geschichten blätternd glaubte ich meinen Augen kaum zu trauen beziehungsweise meinen Ohren, denn bei Krúdy ist es auch nötig zu *hören*. Auf einmal fühlte ich eine Äußerung Kierkegaards widerlegt: Der Philosoph hat, über Mozarts «Don Juan» sprechend, bekanntlich gesagt, daß sinnliche Genialität als Verführung ausschließlich im Medium der Musik in Erscheinung treten könne. «Don Juan ist vollkommen musikalisch», schreibt er. «Don Juan muß man nicht sehen, sondern hören ... Denn die Musik führt ihn mir nicht als Person oder Individuum, sondern als Macht vor.» Nun, genau das ist es, was Gyula Krúdy mit bis dahin unerhörten prosaischen Mitteln – ich würde besser sagen, mit Zaubermitteln – in der irisierenden Gestalt des Sindbad verwirklichen konnte.

Schade, daß im Rahmen dieses Briefes weder Platz noch Zeit bleibt für den Nachweis, die Analyse. Das Genie Gyula Krúdys, seine unerschöpfliche Schaffenskraft wird von ein paar Grundgefühlen angetrieben: einer alles durchdringenden Erotik, dem brennenden Schuldbewußtsein, das damit einhergeht, gierigem Verlangen nach Erlöstwerden und dem ununterbrochen gegenwärtigen Todesgedanken. In seiner Kunst, in seinem Wesen gibt es einen zutiefst archaischen Zug, der ihn mit Bosch, Brueghel und Goya, den großen apokalyptischen Malern, und mit dem Mittelalter verbindet – selbstverständlich im Dekor der modernen Großstadt. «Was für phantasti-

sche Dinge findet man nicht in einer großen Stadt ...
Herr, mein Gott! Du, der Schöpfer, du, der Meister, der
du das Gesetz und die Freiheit geschaffen hast ... der du
vielleicht die Vorliebe für das Schaurige in meinen Geist
gelegt hast, um mein Herz zu bekehren, wie die Heilung
an die Spitze eines Messers; Herr, erbarme dich, erbarme
dich der törichten Männer und Frauen!» Diese Zeilen
könnten von Gyula Krúdy, Dickens oder Dostojewski geschrieben sein – zufälligerweise hat Baudelaire sie geschrieben.

Ja, Gyula Krúdy liebte nicht nur die «Rehfesseln» der
Frauen oder gut zubereiteten Tafelspitz – er liebte auch
den «Schauder», ja, den Tod. Und er liebte all das zusammen. Auch wenn er Schopenhauer nicht gekannt haben
sollte – aber er kannte ihn mit Sicherheit, denn er war äußerst gebildet –, hätte er mit ihm bekennen können:
«Schwerlich sogar würde auch ohne den Tod philoso-
phiert werden.» So wie bei Krúdy der Hedonismus immer mit Morbidität, ist das Sichverlieren in der Tiefe des
Todes immer mit einem zum Himmel erhobenen ver-
schleierten Blick verbunden; dadurch wird seine Prosa zu
der eines in die himmlischen und irdischen Dinge gleichermaßen eingeweihten Mystagogen, eines gereiften
Mannes – gegenüber dem, sagen wir, geschmacklos un-
reifen, theoretischen und seelenlosen Infantilismus des
de Sadeschen Hedonismus.

Im «Weiblichkeitspreis» haben sich alle diese Grund-
züge zur großen Weltkunst ausgeweitet. Viel hätte ich
von Krúdys Topographie zu erzählen: Er umgreift das
Universum, indem er Budapest von der Josefstadt bis allenfalls zur Ferenc-Stadt durchstreift. Und fast unmerk-

lich erschaffen die dazwischenliegenden Budapester Landschaften und Budapester Bilder den Danteschen Grundmythos neu. Im vierten Kapitel kann kein Zweifel mehr sein, daß der apokalyptische Weg des Bestattungsunternehmers János Cziffra in die Hölle führt. Der Vorhof der Hölle ist der Salon von Frau Jellas Freudenhaus: In den Zimmern, die von dort abgehen, spielen die Geschichten, die in die Höllenkreise der Erkenntnis, der seelischen und sinnlichen Qualen, in die tiefen Abgründe des Infernos münden. Doch das Ende der Geschichte schimmert so wie die von Auferstehung kündenden Trompeten im letzten Satz der Zweiten Symphonie von Mahler auf.

«Der Weiblichkeitspreis» erschien 1919, mitten in der europäischen Hölle. Auch etwas weiter westlich entstand damals gerade ein Roman, dessen Ende in etwa den Danteschen Gedanken zitiert: «Wird auch aus diesem Weltfest des Todes, auch aus der schlimmen Fieberbrunst ... einmal die Liebe steigen?» Es handelt sich um den «Zauberberg» von Thomas Mann, der wenige Jahre später den Nobelpreis erhielt.

Gyula Krúdy dagegen erwarten schon bald Jahre schriftstellerischer Einsamkeit. Wir wissen, er verarmte, man drehte ihm schließlich sogar Strom und Gas in seiner Wohnung ab. 1933, als sich das Dunkel der Hölle endgültig über Europa ausbreitete, starb er. Seitdem harren wir – zumindest hier in Osteuropa – eigentlich unablässig der Morgendämmerung, in der sich der Turm auf dem Bakáts-Platz wieder so in die Höhe reckt, wie wir ihn am Ende von Krúdys Roman erblicken, «hell erleuchtet, wie die Himmelsleiter der Seelen».

Ich richte meinen letzten, den vierten Brief an Radio Free Europe. Eigentlich staune ich noch immer nicht genug über die Tatsache, daß ich, siehe da, ins Mikrofon des Freien Europa, auf der Welle des Freien Europa spreche. Noch 1983, als ich mit einem 2-Wochen-Stipendium des Goethe-Instituts nach München aufbrach, ermahnte mich die mit meinen Reiseangelegenheiten betraute Ministerialbeamtin: «Daß Sie mir bloß keine Stellungnahmen bei Radio Freies Europa abgeben!» Ich konnte sie reinen Herzens beruhigen: «Wieso sollte ich Stellung nehmen? Mich wird nicht einmal ein Hund nach meiner Stellungnahme fragen!»

Seitdem hat sich dieses und jenes verändert. Heute ist es mir ohne weiteres möglich, über Sender Freies Europa zu sprechen – andererseits hat es bei weitem keine so große, wenn überhaupt irgendeine Bedeutung. Es scheint fast so, als fingen die Verhältnisse an, ihre normalen Konturen zurückzugewinnen. Ich weiß natürlich nicht, ob es tatsächlich so ist.

Jedenfalls kann ich diese Briefe nicht beschließen, ohne jener Gelegenheiten zu gedenken, da Radio Free Europe tatsächlich eine wichtige Rolle für mich spielte. Von 1956/57 muß ich dabei nicht reden. Zehn Jahre später aber kriegte es von neuem Bedeutung. Zum ersten Mal in meinem Leben – und ich erinnere mich nicht mehr, aus welchem Grund – wurde ich eine Zeitlang Abonnent einer der gemäßigteren damaligen Tageszeitungen. Gerade da brach im Nahen Osten der dann sechs Tage dauernde und auch so benannte Krieg aus. Zu seinem Beginn aber prophezeiten die unheilvollen Vorzeichen keineswegs einen so raschen Erfolg, im Gegenteil, die nahezu sichere Katastrophe. Ich erinnere mich an mein Erstaunen und Entsetzen, als ich am Morgen des ersten Kriegstages die niederträchtigen Lügen dieser Zeitung las: Ich glaubte alles verloren, seit zehn Jahren hatte die Last vollkommener Schmach nicht mehr so auf mir gelegen wie an jenem Morgen. Auch in diesen Tagen war es dann der Nachrichtendienst von Radio Freies Europa, der mir half, mein seelisches Gleichgewicht wiederherzustellen.

Einige Jahre später geriet ich in eine persönliche Krise. Es sah so aus, als ob man die Veröffentlichung meines Romans verweigern würde, und ich grübelte über das nach, was Sándor Márai in seinem Tagebuch etwa so formuliert hatte: daß er Ungarn habe verlassen müssen, um ungarischer Schriftsteller sein zu können. In dieser Zeit versuchte ich herauszufinden, zu ermessen, irgendwie durch den Äther zu erspüren, was denn das freie Europa bedeuten konnte, von dem ein Sender seinen Namen bezog.

In Wahrheit weiß ich es seither immer noch nicht. Vor fünf, sechs Jahren etwa habe ich mir im Fernsehen eine Konzertübertragung angesehen und angehört. Das Amsterdamer Concertgebouw Orchester spielte Mahlers Fünfte Symphonie, der Dirigent war, wie ich erinnere, Bernard Haitink. Als das erschütternde, wunderbar intime Adagietto erklang, ging die Kamera einfach aus dem Konzertsaal hinaus und begann, über das nächtliche Amsterdam zu schweifen: über dämmernde Hausdächer, eine stumpf aufblinkende Kuppel, Kirchtürme, majestätisch hinziehende Wolken, den fernen Hafen – eines der atmenden, lebendigen Zentren einer großen Zivilisation.

Und als dann im letzten Satz die Erlösung verkündenden Posaunen aufjauchzten, dämmerte es gerade über der Stadt: Man konnte spüren, daß nur ein gewöhnlicher Wochentag seinen Anfang nahm, mit seiner Hektik, seinem Lärm, seinen tagtäglichen Sorgen und Mühen – doch dieser Werktag, dachte ich, wird von festlicher Musik beglänzt, von großen Geistern durchdrungen und belebt wie von der Wärme der gerade aufgehenden Sonne. Ich erinnere mich, das alles hat mich sehr berührt.

1989, im Herbst des Jahres der großen Hoffnungen, verbrachte ich einen Monat in Wien. Daheim wurde gerade die Republik ausgerufen, und ich dachte im Park von Schönbrunn wieder einmal über Europa nach. Es war ein heißer Oktober, unzählige, aus allen Teilen der Welt zusammengekommene Menschen warteten darauf, ins Schloß Schönbrunn eingelassen zu werden. Mir erschien der riesige Andrang plötzlich irgendwie vergeblich; ich hatte auf einmal das Gefühl, diese vielen Menschen tappten einem längst entwichenen Zusammenhang, einer längst entschwundenen Idee hinterher, blind und unnütz. Indes Ungarn, dachte ich, gerade jetzt europäisch werden will. Man müßte es warnen, dachte ich an der Brüstung der Gloriette weiter, es vor den seelischen Folgen der zu erwartenden Enttäuschung schützen, darüber aufklären, daß Enttäuschung der Beginn des Erwachsenwerdens ist, daß Kraft und Erleuchtung in ihr stecken.

Aber ist es an dem? Manchmal fühle ich mich wie in einem Alptraum, in dem wir losrennen wollen und unsere Beine bleischwer sind. Als wenn all das von neuem spukte, was 1945 endgültig kompromittiert und für immer verschwunden schien. Mit einem Bein stehen wir noch in der abgewirtschafteten Diktatur des Proletariats und mit dem anderen – o nein, nicht in der glücklicheren Zukunft, vielmehr in der Vergangenheit des ebenso abgewirtschafteten Herren-Ungarns. Der Spruch «Sie haben nichts vergessen und nichts dazugelernt» ist wieder aktuell geworden. Doch dieser Mythos, der verschlissene, verlogene, von Angst und Elend genährte, der Menschen und Nationen vernichtende Dreißiger-Jahre-Mythos, ist, glaube ich, nicht wieder zum Leben zu erwecken, einfach weil er nicht lebensfähig ist.

Schon wieder also der Mythos. Ich komme noch einmal auf die Feststellung Jungs zurück: Wir sind an eine Grenze gekommen. Und noch einmal frage ich: Was beginnt jenseits der Grenze? Fürwahr, wir wissen es nicht. Doch wenn ich schon in meinem ersten Brief Jung zitiert habe, lassen Sie mich auch meinen letzten mit seinen Worten beschließen:

«... noch zu wenige legen sich die Frage vor, ob nicht der menschlichen Gesellschaft am Ende dadurch am besten gedient sei, daß jeder bei sich selber anfange und jene Aufhebung der bisherigen Ordnung, jene Gesetze, jene Siege, die er auf allen Gassen predigt, zuerst und einzig und allein an seiner eigenen Person und in seinem eigenen inneren Staat erprobe ... Jedem Einzelnen tut Umsturz ... und Erneuerung not, nicht aber, daß er sie seinen Mitmenschen aufzwinge unter dem heuchlerischen Deckmantel christlicher Nächstenliebe oder sozialen Verantwortungsgefühls – und was es sonst noch an schönen Worten für unbewußte persönliche Machtbedürfnisse gibt. Selbstbesinnung des Einzelnen, Rückkehr des Einzelnen zum Grunde des menschlichen Wesens, zu seinem eigenen Wesen und dessen individueller und sozialer Bestimmtheit ist der Anfang zur Heilung der Blindheit, welche die gegenwärtige Stunde regiert.»

Deutsch von Laszlo Kornitzer

Wer jetzt kein Haus hat

Münchner «Rede über
das eigene Land»

Vor einem Jahr, im November 1995, wurden in diesem Saal vier Reden gehalten, und zwei der vier Redner – Fritz Beer und George Tabori – begannen ihren Vortrag über das eigene Land mit der Feststellung, daß es einen Ort, den sie das eigene Land nennen könnten, nicht gibt. Diesen beiden Autoren aber war das Glück beziehungsweise die Voraussicht gegeben, ihr Herkunftsland rechtzeitig verlassen zu können, noch bevor man sie dort wegen ihrer Abstammung oder ihrer Gesinnung – oder womöglich wegen beidem: ihrer Abstammung und ihrer Gesinnung – einkerkern, in ein Lager einsperren oder umbringen konnte. Diesmal nun steht ein Redner vor Ihnen, der einst von den rechtmäßigen Behörden seines Landes – Ungarns – im Rahmen zwischenstaatlicher Vereinbarungen als versiegelte Warenlieferung an eine fremde Großmacht übersandt wurde zu dem ausdrücklichen Zweck seiner Ermordung, betrieb doch diese Großmacht – Nazideutschland – die Ausrottung der Juden mit erheblich besser entwickelten Methoden. Nach der Befreiung aus dem Konzentrationslager ist er aus heute nicht mehr erfindlichen Gründen – vielleicht mit dem Instinkt eines ausgesetzten Hundes, vielleicht aber auch, weil er damals, mit sechzehn, diesen Ort für sein Zuhause hielt – in dieses selbe Land zurückgekehrt; später, in der Zeit der Sozialismus genannten russischen Besetzung, hat er am selben Ort vierzig Jahre in einer de facto inneren Emigration verbracht, um dann, nachdem die Euphorie von 1989 abgeklungen war, seine unabänderliche Fremdheit als die Endstation einer langen, langen Reise zu erkennen, an der er endlich angekommen ist, ohne daß er sich, im geographischen Sinn, je von der Stelle gerührt hätte.

Möglich, daß auch eine solche an Ort und Stelle voll-zogene Reise ihre eigene Lehre hat: wenn ich das nicht glaubte, würde ich jetzt nicht hier vor Ihnen stehen. Kürzlich wurde mir die Ehre zuteil, im Budapester Radio Sándor Márais Tagebuchroman «Föld, föld!» vorlesen zu dürfen. Sándor Márai, einer der besten und interessante-sten Schriftsteller des modernen Ungarn, ist 1948, vor der völligen Stalinisierung des Landes, emigriert.

Seinen Namen niederzuschreiben blieb in seinem «ei-genen Land» vierzig Jahre lang praktisch verboten. Er hat es noch erlebt, daß man ihn nach der Wende von 1989 aus den Vereinigten Staaten nach Hause einlud. Der Heimkehr aber hat er am Ende einen ganz anderen Sinn gegeben, als es sich die mit einemmal so freundlich gewordenen ungarischen Kulturbehörden vorgestellt hatten: In seiner einsamen Wohnung in San Diego hat er sich, im Alter von neunundachtzig Jahren, erschossen. In dem erwähnten Tagebuchroman beschreibt er seine Vorbereitungen zur Emigration und seine letzten Wo-chen in Budapest. Mit besonderer Teilnahme las ich seine schwerwiegenden Überlegungen dazu ins Mikro-fon, die Stelle, wo er sich fragt, welche Zukunft ihn er-warte, wenn er dort bliebe, die Passagen über sein Grauen vor dem sich abzeichnenden physischen und geistigen Terror, vor der «Gehirnwäsche», vor dem «Ich-verlust». Und ich mußte während der Lesung darüber nachdenken, daß ich, sein um dreißig Jahre jüngerer Berufskollege, auf irgendeine Weise hier hängengeblieben bin, daß mein Gehirn nicht gewaschen worden ist (es ist ihnen nicht gelungen, oder mein Gehirn wurde ganz einfach vergessen) und daß ich mein sogenanntes Ich nicht verloren habe (wenn ich auch zuweilen schwer daran trage). Bin ich schuldig? Feige? Faul? Ich glaube es nicht. Um es auf die Art Sándor Márais zu sagen: Einer mußte auch das durchleben.

Übrigens war Sándor Márai einer der ersten, der die über die Sprachgrenzen hinausreichende Bedeutung Franz Kafkas erkannt und schon 1922 dessen beste Erzählungen ins Ungarische übertragen hat. Als Kafka davon erfuhr, legte er sofort bei seinem Verleger Kurt Wolff Protest ein: Die Übersetzung seiner Werke ins Ungarische, schreibt Kafka in einem Brief, sei ausschließlich seinem Freund Robert Klopstock vorbehalten. Dieser Robert Klopstock war ein dilettierender Literat ungarischer Abstammung, von Beruf eigentlich Arzt; sein Name taucht später gelegentlich in den deutschen Emigrantenkreisen in Amerika auf. Die Geschichte ist, als wäre der lebendige Kafka auf einmal in die fiktive Welt einer Kafka-Erzählung eingetreten. Um noch besser zu veranschaulichen, wovon ich rede – es ist, als ob ich erführe, daß Thomas Mann eines meiner Bücher ins Deutsche übersetzt hat, und meinem Verleger darauf mitteilte, ich hätte doch mehr Vertrauen in meinen Hausarzt, der auch etwas Deutsch kann.

Ich weiß nicht, warum ich Ihnen diese Anekdote

eigentlich erzähle. Vielleicht, um ganz klarzumachen, daß das Gesetz unserer Welt der Irrtum, das Mißverständnis, das gegenseitige Sich-Verkennen ist. Mit welcher Leichtigkeit, ja, mit welcher Vorliebe wählen wir uns den schlechten Mittler, und wie leicht verirren wir uns in der Sprache, die unsere Gedanken eigentlich nur verzerrt wiedergibt. Ich jedenfalls billige die Vorsicht, mit der man den Titel dieser Vortragsreihe gewählt hat: «Reden über das eigene Land» – ja, da manifestiert sich, so scheint mir, ein der Größe heutigen Wissens entspringender Takt. Man hätte ja auch etwas anderes wählen können, etwas wie «Reden über die Heimat», was als Titel doch ansprechender wäre und auch klangvoller und volkstümlicher. Doch eben – genau diese Eigenschaften würden den Titel, wenn nicht unmöglich, so doch fragwürdig machen. Es gibt Wörter, die wir heute nicht mehr so vorbehaltlos aussprechen, wie wir sie früher ausgesprochen haben. Und es gibt Wörter, die zwar in allen Sprachen anscheinend das gleiche bedeuten – und doch sagt man sie je nach Sprache mit anderen Gefühlen, einem anderen Beiklang. Ich glaube, es ist eines der schwerwiegendsten und vielleicht noch gar nicht recht ausgeloteten Ereignisse unseres Jahrhunderts, daß es die Sprache mit der Seuche der Ideologien angesteckt und damit enorm gefährlich gemacht hat. In seinen «Vermischten Bemerkungen» sagt Wittgenstein, daß man «manchmal einen Ausdruck aus der Sprache herausziehen, ihn zum Reinigen geben» muß, bevor man ihn wieder in Gebrauch nimmt. Und auch Paul Celan stellte, als er den Bremer Literaturpreis entgegennahm, den Untergang der Sprache fest: «Sie mußte hindurchgehen ... durch die tausend Finsternisse todbringender Reden.» Victor Klemperer hat ein Buch über den nationalsozialistischen Sprachgebrauch geschrieben, und George Orwell hat für den Totalitarismus eine neue Sprache erschaffen, den «New Speak». Bei alledem geht es darum, daß die Begriffe nicht mehr in der Weise gültig sind, in der wir sie früher verwandten. So kann dann die seltsame Situation entstehen, daß man mich bittet, etwas über mein eigenes Land zu sagen – und statt dessen verwickle ich mich in sprachphilosophische Erörterungen.

Übrigens ist «Heimat» tatsächlich ein Wort, bei dem es sich noch etwas zu verweilen lohnt. Mir zum Beispiel macht es angst. Aber das ist wohl nur eine Folge der falschen Innervation. Ich habe in früher Kindheit gelernt, daß ich meiner Heimat am besten diene, wenn ich Zwangsarbeit leiste und mich danach ausrotten lasse. Glauben Sie nicht, daß ich hier ironisiere: In der obligatorischen paramilitärischen Jugendorganisation, den «Leventen», mußten wir mit der gelben Binde am Oberarm patriotische Lieder absingen. Heute kenne ich mich im Labyrinth solcher Perversitäten natürlich besser aus, aber auch als Kind habe ich die Verdrehtheit der Situation gespürt. Das alles kann man allerdings auch anders erleben. Ich erlaube mir, mich hier auf das Beispiel des ungarischen Dichters Miklós Radnóti zu berufen, den seine letzten zehn Gedichte unbestreitbar zu einem der Großen der Weltliteratur machen. Dieser edle Geist, der, als Jude geboren, schon in früher Jugend aus ästhetischen Gründen und aus tiefer Überzeugung zum katholischen Glauben übergetreten war, hat nie seine unerschütterliche Vaterlandsliebe aufgegeben. Er verbrachte Jahre in Arbeitslagern, unter der Aufsicht von ungarischen und deutschen Henkersknechten. Am Ende, als die Alliierten vordringen, werden er und die Mitgefangenen in Gewalt-märschen Richtung Deutschland getrieben. Unterwegs befällt ihn Schwäche; der Pferdewagen, auf den die Kran-ken geworfen werden, verliert den Anschluß an den Zug; die Fuhrleute wollen ihre kostbaren Pferde schonen. Das ungarische Aufsichtspersonal hat sich am Abend bei der Einheit zu melden, man beratschlagt also, was mit der unerwünschten Wagenladung anzufangen ist: Die ein-zige Lösung scheint zu sein, die zweiundzwanzig Kran-ken gleich an Ort und Stelle totzuschießen. So geschieht es auch. Als das Massengrab zwei Jahre später exhumiert wurde, fand man auch die Leiche des Dichters, in seiner Manteltasche steckte noch das Notizbuch, darin die in der Lagerhaft entstandenen zehn großen Gedichte. In einem kurz vor seinem Tod entstandenen Gedicht hatte er für die poetische Darstellung seiner Vaterlandsliebe einen besonders originellen Blickwinkel gewählt: den des feind-lichen – das heißt alliierten – Bomberpiloten, der aus sei-ner hohen Warte die Landschaft lediglich als Gelände und als Ziel erforscht, während sie für den Dichter etwas ganz anderes bedeutet: sein Heimatland, die Muttererde, dar-auf die vertrauten Wege, die Kindheitserinnerungen, die Freunde und die Frau, die er liebt …

Es gibt dabei nur einen Haken: Ein Dichter weiß nicht immer, wie er leben soll, aber immer weiß er, wie er ster-ben muß. Die große Frage ist, wie dieser Heroismus der Treue wirken würde, wenn ihn der Dichter nicht mit sei-nem Schicksal besiegelt hätte. In Lagern, in Gefängnissen läßt der Wunsch zu überleben merkwürdige Fata Morganas über den teilnahmslosen Himmel flimmern. Wie könnten wir den Begriff «Heimat» ohne derartige Fata Morganas auslegen? Der französische Historiker Ernest Renan, der sehr viel von dieser Frage verstand, war der Meinung, eine Nation werde nicht durch Rasse und nicht durch Sprache definiert, sondern durch die Menschen, die in ihrem Herzen spüren, daß ihnen Gedanken und Gefühle gemeinsam und daß auch ihre Hoffnungen die gleichen sind. Ich dagegen habe sehr früh schon die Erfahrung gemacht, daß ich über alles anders denke, daß meine Interessen andere sind, daß ich mich anders an die Dinge erinnere und daß sich auch meine Hoffnungen durchaus von denen unterscheiden, die die Heimat von mir fordert. Wie ein Geheimnis brannte diese als schmachvoll empfundene Verschiedenheit in mir, die mich ausschließt aus dem um mich her tobenden Konsens, aus der Welt der miteinander Einverstandenen. Mit schlechtem Gewissen und einem Gefühl der Gespaltenheit habe ich mein eigenes Ich getragen, bis mir – sehr viel später – aufging, daß dies nicht etwa ein kranker, sondern vielmehr ein gesunder Zustand ist und daß, sofern da ein Verlust ist, er durch Klarsicht und geistigen Gewinn wettgemacht wird. Mit dem Gefühl der Verlorenheit zu leben: das ist wohl der moralische Zustand heute, bei dem verharrend wir unserer Epoche getreu sein können. Haben Kunst, Glauben, Bildung heutzutage noch einen Platz, spielen sie noch eine Rolle? Was man Kultur nannte, also die universale Kreativität einer größeren Gemeinschaft und des Menschen Streben, daß er ein besserer und vollkommener Mensch werde, dies alles scheint heute nicht mehr vorhanden zu sein. Den Mangel an Geist spiegelt die entsetz-

liche Freudlosigkeit des Menschen, sein stummes Wehklagen, das seinen Ausdruck dann in rasenden Exzessen
sucht. Ich gehöre zu denen, die teilhatten an den schwersten historischen und menschlichen Erfahrungen dieses
Jahrhunderts; und als an diesen Erfahrungen Beteiligter
kann, worüber immer ich rede, stets nur ein Nachruf
sein. Unsere moderne Mythologie beginnt mit einem
gigantischen Negativum: Gott erschuf die Welt, der
Mensch erschuf Auschwitz.

Ich weiß nicht, ob die Psychose, die ich vorhin als
schlechtes Gewissen und ein Gefühl der Gespaltenheit
bezeichnete, schon mit der notwendigen Gründlichkeit
untersucht worden ist. Ich habe sechzig Jahre lang in
einem Land gelebt, in dem ich – von den zwei glanzvollen
Wochen des Aufstandes von 1956 abgesehen – immer auf
der Seite des erklärten Feindes stand. Während mein
eigenes Land an der Seite Nazideutschlands kämpfte,
setzte ich all meine Hoffnungen auf die Waffen der Alliierten; später, zur Zeit des sogenannten Sozialismus,
wünschte ich den Sieg der sogenannten Kapitalisten oder
eben den Sieg der Demokratie über den Einparteienstaat.
Mit welcher Leichtigkeit habe ich am Anfang dieser Rede
den Ausdruck «innere Emigration» gebraucht; dabei habe
ich vielleicht selbst schon die Depressionen und Beklem-
mungen jener Zeit vergessen, ja vielleicht sogar ihre seltenen und kurzen Augenblicke heimlichen Triumphs.
«Wißt ihr, was Einsamkeit heißt in einem sich selbst fei-
ernden, sich unablässig an sich selbst berauschenden
Land? Nun, dann werde ich es euch erzählen», schrieb ich
im «Galeerentagebuch»; und es mag sein, daß meine Romane tatsächlich etwas von diesem Gefühl wiedergeben,

wenn auch nicht alles. Stellen Sie sich zum Beispiel einen gutgewachsenen vierzehnjährigen Jungen vor, wie ich es im Sommer 1944 gewesen sein mag. Es war ein heißer Tag, aber ich trug ein Jackett, weil dort der gelbe Stern aufgenäht war. Ich arbeitete damals in einem Kleinunternehmen, das Weinpumpen herstellte und reparierte, und der Chef hatte mich gerade in die Stadt geschickt, um bei einem Kunden einen ausstehenden Betrag «einzukassieren». Als ich aus dem Gebäude trat und zur Straßenbahn gehen wollte, kamen aus der benachbarten Druckerei soeben die Zeitungsausrufer – damals gab es noch Zeitungsausrufer – herausgerannt, vollbepackt mit Zeitungen, und riefen die neueste Schlagzeile aus: «Die Invasion hat begonnen! Die Invasion hat begonnen!» Es war der 6. Juni – der, wie ich gut ein Jahr später erfuhr, «D-Day». Ich kaufte mir rasch eine Zeitung, faltete sie dort auf der Straße auf und las mit breitem Grinsen, daß die Alliierten in der Normandie gelandet waren, wo sie, der Zeitung zufolge, «ihre Brückenkopfstellungen zu befestigen scheinen». Auf einmal schaute ich auf, weil ich fühlte, daß mich die Passanten musterten, wie ich mich dort, den gelben Stern an der Jacke, fast schon demonstrativ über den Erfolg des Feindes freute. Das Gefühl, als mir die Situation bewußt wurde, ist kaum zu beschreiben: Es war wie ein plötzlicher Sturz in die Abgründe von Ausgeliefertsein, Angst, Verachtung, Fremdheit, Ekel und Ausgestoßensein. Etwas Ähnliches erlebte ich – freilich schon in viel erfahrenerem Alter – mehr als zwanzig Jahre später, nämlich 1967, als Radio und Presse meines eigenen Landes sich an der Vorstellung berauschten, wie Nasser in Tel Aviv einziehen würde …

Sie sehen also, seit ich geboren wurde und existiere, bin ich jenes seltsame Wesen, welches die – zumeist totalitären – Behörden des eigenen Landes als den «inneren Feind» zu definieren pflegen; und wenn die Kulturbeauftragten ebendieser Behörden auf irgendwelche kosmopolitischen, eklektizistischen, heimat- und wurzellosen Intellektuellen hinweisen, dann bin ich mit einem gewissen, schon eingespielten Lächeln jedesmal sofort bereit, darin mich selbst zu erkennen. Um von meinem «eigenen Land» nun aber doch ohne Umschweife und ganz klar zu sprechen: Es gibt zwar ein Land, in dem ich geboren worden, dessen Bürger ich bin und, vor allen Dingen, dessen wunderschöne Sprache ich spreche, lese und schreibe. Dieses Land aber war nie mein eigenes, vielmehr war ich sein eigen, und es hat sich vierzig Jahre lang für mich viel eher als Gefängnis denn als Heimat erwiesen. Wollte ich den Koloß, als der sich mir dieses Land stets präsentierte, bei seinem wirklichen Namen nennen, so müßte ich das Wort «Staat» gebrauchen. Der Staat aber kann nie unser eigen sein.

Der Staat, meine Damen und Herren, ist nichts anderes als eine geheimnisvolle und schreckliche Möglichkeiten in sich bergende Macht, die reine Macht und sonst nichts; eine Macht, die hier besser, dort schlechter verhüllt und gemäßigt wird; eine Macht, die in seltenen und befristeten Ausnahmefällen sogar eine gedeihliche Rolle spielen kann; die aber vor allem und über alles andere hinaus doch einfach nur Macht ist, der wir uns stellen müssen und die wir – sofern es die politische Struktur erlaubt – eindämmen, einschränken, überwachen und fortwährend daran hindern müssen, wieder zu dem zu werden, was ihrem

Wesen entspricht: zur Macht an sich, zur Staatsmacht, zur totalen Staatsmacht. Vor kurzem hat Ilse Aichinger den Österreichischen Staatspreis für Literatur entgegengenommen und dabei ihre Rede wie folgt begonnen: «Das Mißtrauen gegen den Staat, gegen jeden Staat, Verwaltungsgremien, Ämter, die ziemlich unzugänglichen edlen Bauten, in denen die Ministerien, Behörden, zuständigen Kanzleien und Büros, im Kriegsfall sicher auch Stabsbüros, untergebracht sind, begann bei mir früh. Ich fragte wie fast jeder vieles in der Zeit des Heranwachsens. Nach dem Staat fragte ich nicht, er hatte für mein Empfinden zu viele Gesichter; eines überdeckte das andere, und eine staatliche Stelle stand wachsam für die andere. Man kam da nicht durch.» Ja, ich glaube, wir alle beginnen unsere Erfahrungen mit dem Staat so; in der Art und Weise aber, wie uns diese Erfahrungen später formen oder eben verformen, gibt es zugegebenermaßen Unterschiede – und nicht etwa nur Schattierungen. Wer wie ich vom totalen und totalitären Staat erzogen wurde, kann der Vollständigkeit dieser Erfahrung nicht ausweichen, denn sie ist der Rahmen, innerhalb dessen sich sein ganzes Leben abspielt. Was gemeint ist, habe ich im «Galeerentagebuch» beschrieben: «Ich beginne zu durchschauen, daß mich vor dem Selbstmord (nach dem Beispiel Borowskis, Celans, Amérys, Primo Levis und anderer) jene ‹Gesellschaft› bewahrt hat, die mir nach der Erfahrung des KZs in Form des sogenannten ‹Stalinismus› bewies, daß von Freiheit, von Befreiung, von großer Katharsis und so weiter – von alledem also, was die Intellektuellen, die Denker und Philosophen in glücklicheren Weltgegenden nicht nur im Munde führten, sondern woran sie offenkundig auch glaubten – überhaupt nicht die Rede sein konnte; diese Gesellschaft garantierte mir die Fortsetzung des Lebens in Knechtschaft und sorgte so dafür, daß viele Irrtümer gar nicht erst möglich wurden. Das ist der Grund dafür, warum mich jene Flut der Enttäuschungen nicht erreicht hat, die Menschen mit ähnlichem Erfahrungsbereich, die in freieren Gesellschaften lebten, sozusagen gegen die vor der Flut davonlaufenden Beine klatschte, bis sie ihnen – mochten sie den Schritt noch so beschleunigen – allmählich bis zum Hals reichte.»

Sie sehen also: Ich verdanke meinem Land immerhin viel, und wenn das nach dem Vorangegangenen ironisch klingen mag – so bin wieder nicht ich ironisch, sondern die Wahrheit ist es. Denn obwohl ich im Nihil aufgewachsen bin und mit klarem – oder eher praktischem – Verstand bereits in früher Kindheit gelernt hatte, mich der Welt des Nihil zu fügen, mich in ihr zu bewegen und zurechtzufinden, da das Nihil für mich ganz einfach das Leben bedeutete, mit dem ich umgehen mußte, was ansonsten gar nicht schwieriger zu erlernen war als das Sprechen für ein Kind: wäre mein naiver Glaube an ursprüngliche Werte – ja, Urwerte – nicht dennoch intakt geblieben, dann hätte ich kein Werk, dann hätte ich nie etwas zustande bringen können. Woher aber, habe ich mich immer wieder gefragt, sind diese Werte, wenn meine ganze Umgebung ihnen abgeschworen hat, sie verneint; woher rührt unser Vertrauen in diese Werte, wenn wir sie im praktischen Leben ständig nur widerlegt sehen? Und mit Vertrauen meine ich hier, daß man sein Leben auf diese Werte setzt und dann mit ihnen allein bleibt wie der Häftling in der Einzelzelle, der nicht einmal mehr auf die Verhandlung, sondern nur noch auf das Urteil wartet; und bedenken wir, daß in diesem Fall das günstige Urteil gerade die Widerlegung aller unserer Bestrebungen darstellt.

In diesem Land also bin ich aufgewachsen, in diesem Land habe ich mein Bewußtsein erlangt. In diesem Land habe ich den wahren Charakter meiner Erfahrung erkannt, der mir in einer freieren Welt vielleicht verborgen geblieben wäre. In diesem Land bin ich Schriftsteller geworden. Und dieses Land zwang mich als Schriftsteller, die Wirklichkeit von der Sprache, die Begriffe von ihrem Gehalt, das heißt die Ideologie von der Erfahrung, zu trennen.

In jenem nunmehr vierzig Jahre zurückliegenden Augenblick, als sich in mir mit schmerzlicher Klarheit, doch zugleich unabwendbar die Absicht, Schriftsteller zu werden, als Lebensplan formulierte, begriff ich, daß ich damit das freiwillige geistige Exil wählte. Doch habe ich damit nicht auch etwas gewählt, was unumgänglich ist und mich mit dem Los des Menschen, des geistigen Menschen auf der ganzen Welt vereint? Der Begriff «Reich» im Titel seines Erzählbandes «Das Exil und das Reich» entspreche, sagt Albert Camus, «genau einem bestimmten freien und nackten Leben, das wir wiederentdecken müssen, um wiedergeboren zu werden. Das Exil zeigt uns auf seine Weise den Weg, unter der einzigen Bedingung, daß wir Knechtschaft und Besitz zugleich ablehnen.» Mit Besitz hatte ich nie etwas zu tun; doch um die Knechtschaft abzulehnen, mußte ich sie voll und ganz durchleben, ihre sämtlichen Folgen eingeschlossen.

Ich glaube, es zeigt sich langsam, daß ich bei dieser

Rede eigentlich das Lob meines Landes singe. Warum sollte ich denn, statt der besessen und mit hervorquellenden Augen dargebotenen Phrasen vaterländischer Preisreden, nicht das loben dürfen, was mir mein Land wirklich gab: die negative Erfahrung? Fremd zu sein, sagte letztes Jahr in diesem selben Raum George Tabori – oder, wenn es so beliebt, auf ungarisch, Tábori György –, «ist nicht schlimm». In der Tat; und nicht nur ist es nicht schlimm, es ist sogar unvermeidbar. Unvermeidbar, denn ob wir zu Hause bleiben oder ob wir in die Welt hinausziehen – früher oder später müssen wir unsere Heimatlosigkeit in dieser uns gegebenen Welt erkennen. Ich lebe freiwillig in einer von mir selbst gewählten und akzeptierten Minderheit – man könnte sie als eine Weltminderheit bezeichnen –, und wollte ich sie genauer definieren, würde ich dafür weder «rassenbezogene», ethnische noch religiöse oder sprachbezogene Begriffe verwenden. Meine freiwillige Zugehörigkeit zu einer Minderheit würde ich definieren als eine Form geistiger Existenz, die auf der negativen Erfahrung beruht. Es ist wahr – die negative Erfahrung ist mir durch mein Judentum zuteil geworden, oder ich könnte auch sagen: Ich wurde durch mein Judentum in die allumfassende Welt der negativen Erfahrung eingeweiht; denn alles, was ich aufgrund meiner jüdischen Geburt durchmachen mußte, betrachte ich als Initiation; eine Initiation in das höchste Wissen um den Menschen und die Situation des Menschen unserer Zeit. Und da ich also mein Judentum als negative Erfahrung, das heißt auf radikale Art, erlebte, hat das am Ende zu meiner Befreiung geführt.

Am Ende dessen angekommen, was ich zu sagen habe, fühle ich, daß jetzt zu Recht eine Frage gestellt werden könnte: Bisher habe ich nur von der Vergangenheit gesprochen – nun, hat die politische Wende vor sechs Jahren und die nach der Wende sich entfaltende Gegenwart nichts an meinen Erfahrungen mit meinem Land geändert? Ich muß gestehen: Das ist eine Frage, über die ich selbst seit sechs Jahren nachdenke. Eines der bescheidenen Ergebnisse dieses Nachdenkens ist eben der Vortrag, den Sie gerade hören. Es ist eine glückliche, aber auch äußerst seltene Konstellation, wenn die Arbeit, die wir auf unsere eigene geistige Befreiung verwenden, gleichzeitig einer größeren Gemeinschaft, vielleicht gar der Nation von Nutzen sein kann. Ich fürchte nur, in meinem Fall trifft das kaum zu. Die Zeit, scheint mir, ist noch weit entfernt, da die ungarische Nation die vielen hunderttausend Toten – ihren Beitrag zur Endlösung – als eine Wunde am eigenen Leib empfinden wird. Es wird noch lange dauern, bis man dort begreift, daß Auschwitz keineswegs die Privatangelegenheit der über die Welt verstreuten Juden ist, sondern das traumatischste Ereignis in der westlichen Zivilisation, das man vielleicht einmal als den Beginn einer neuen Zeitrechnung betrachten wird. Und es wird noch lange dauern, bis man in meinem Land die Werte schaffende Kraft und Bedeutung der negativen Erfahrung erkennt – und vor allem: bis man die negative Erfahrung in positives Tun verwandelt, weil man verstanden hat, daß eine Solidarität geschaffen werden muß, die an die Wurzeln unseres persönlichen Lebens reicht und fähig macht, Leben unabhängig von Macht – jedweder Macht – zu organisieren und zu erhalten, so daß wir es vermögen,

«gleichzeitig die Knechtschaft und den Besitz abzulehnen».

Darf ich zum Schluß noch sagen, daß mir überdies erscheint, als hätte Ungarn nicht gerade einen günstigen
Augenblick gewählt – sofern es überhaupt die Wahl
hatte, natürlich –, um sich unter die demokratischen Länder zu reihen. Es scheint ein Augenblick zu sein, da die
Demokratie auch in jenen Ländern problematisch geworden ist, die eine lange demokratische Tradition haben. Die
beiden großen Prinzipien, die der europäischen Kreativität als Antrieb dienten – Freiheit und Individuum –, sind,
so scheint es, heute keine unverrückbaren Werte mehr.
Daß das Menschenbild, das der Humanismus des acht-
zehnten und neunzehnten Jahrhunderts entwarf, radikal
geändert werden muß, hat Auschwitz gezeigt; und wenn
es noch letzte Reste individueller Freiheit gab, so scheinen sie heute der alles niederwalzenden Produktionsdy-
namik und der damit einhergehenden Massenmanipula-
tion zum Opfer zu fallen.

Was kann ein Schriftsteller da tun? Er schreibt und
versucht sich nicht darum zu kümmern, ob es nützlich
oder nutzlos ist, was er treibt. Natürlich steht er mit dem
Land, das ihn umgibt, in heftigstem Konflikt. Wie aber
sollte das auch anders ein? Ist nicht der beschränkte Ort,
an dem wir unseren Alltag verleben, symbolisch für jed-
weden Ort, für die Welt, das Leben selbst? Wenn auf
nichts anderes, zumindest auf meine Fremdheit darf ich
hienieden und möglicherweise im Jenseits noch Anspruch erheben. Daheim? Zuhause? Heimatland? Vielleicht wird man von all dem einmal anders sprechen können – oder wir sprechen gar nicht mehr davon. Vielleicht

wird den Menschen einmal aufgehen, daß all das abstrakte Begriffe sind und das, was sie zum Leben wirklich
brauchen, gar nichts anderes ist als nur ein *bewohnbarer*
Ort. Ein solcher Ort wäre wahrscheinlich jede Anstrengung wert. Doch das ist Zukunftsmusik oder – aus meinem Blickwinkel – Utopie. «Wer jetzt kein Haus hat, baut
sich keines mehr», heißt es bei Rilke. Manchmal habe ich
das Gefühl, er habe es eigens für mich geschrieben.

Deutsch von Christina Viragh

Budapest.
Ein überflüssiges Bekenntnis

Es ist wahrhaftig an der Zeit, meine Beziehung zu der Stadt zu klären, in der ich seit achtundsechzig Jahren lebe und die ich immer weniger kenne. Daß ich dieses Unternehmen auf fremde Anregung – auf Bitten des ZEIT-Magazins – in Angriff nehme, empfinde ich dabei durchaus als Vorteil. So bin ich frei, nicht gebunden von jener Wirklichkeit, die mir meine Landsleute ständig unter die Nase reiben würden. Beschreibe ich etwa eine Straße, aus der langsam der eisige Hauch der Verödung aufsteigt, als zöge sie sich gleichsam durch die gnadenlos ausgeleuchtete, starre Stadtlandschaft eines Chirico-Gemäldes, so rufen meine Landsleute bereits im Chor: Aha, die kennen wir doch, das ist ja die Munkácsy-Straße, wo aber ist der Gewürzladen, wo jener Fenstersims im zweiten Stock, auf dem immer frischer Muskat blüht, nun, und wo jener verspielte Pudel aus dem Nachbargarten, der jeden Morgen solchen Spektakel macht, wenn der Briefträger klingelt? Sicher, dieser drei Motive entbehrt meine Bleistiftskizze zufällig, dafür aber gibt es darin, sagen wir, drei andere, die der Aufmerksamkeit meiner Mitbürger im allgemeinen entgehen. Das heißt – und darauf will ich hinaus –, die Wirklichkeit ist nichts als das Produkt unserer Vorstellung, und umsonst wohnen wir auf ein und demselben Grundstück und unter ein und derselben

Hausnummer, ich, so scheint es, lebe in einem anderen Haus, in einer anderen Stadt als der, in welcher meine Nachbarn leben.

So wird denn hier von meinem eigenen, individuellen Budapest die Rede sein, das mehr und mehr in meine Phantasie, in meine Erinnerungen entweicht. Das «wahre» Gesicht des «echten» Budapest? Was geht es mich an? Ich bin ein Auswanderer, der zwar seit Jahrzehnten versäumt, sich seine Reisedokumente zu beschaffen, der sich aber auch hütet, in dieser Stadt tiefer Wurzeln zu schlagen, da jederzeit der Briefträger mit den Papieren an der Tür stehen könnte; ich glaube, treffender läßt sich mein Verhältnis zu dieser Stadt, vielleicht zum Leben selbst, kaum charakterisieren. Was ließe ich mit Bedauern zurück, sollte ich eines Tages trotzdem packen müssen? Wenn ich versuche, dieser Frage nachzugehen, kann ich mich vielleicht näher an das Geheimnis herantasten, das nach dem Zufall der Geburt in der Folge unserer bewußten oder unbewußten Wahlentscheidungen verborgen liegt.

Vermissen würde ich vor allem die Landschaft, ich könnte sagen: Budapest als Natur. Ein Ankommender, der Gespräche meidet – oder gar taubstumm ist –, wird hier sofort zum Kosmopoliten. In der Lage und Architektur Budapests, dem dabei die Monstrosität der unbewohnbaren Großstädte doch auf glückliche Art fremd ist, liegt jenes gewisse Versprechen, das ein für jede Erregung offenes modernes Nervensystem wie eine empfindliche Antenne sofort «empfängt» und auf das es sich gern einstellt. Das Versprechen, aufgenommen zu werden beziehungsweise in Besitz nehmen zu können, das vielleicht

die großzügige Weite und zugleich beruhigende Um-
grenztheit des Stadtbildes uns suggerieren. In meiner
Kindheit war ich für diese entwaffnende Schönheit der
Stadt besonders empfänglich. Ich liebte die langen Stra-
ßenbahnlinien, die Budapest durchschnitten und die mich
aus dem Häuserdickicht der engen Josefstadt in eine sich
unerwartet öffnende Weite, hin zum Fluß und der trüben,
ahnungsvoll blauenden Hügellandschaft Budas brachten.
Die meisten dieser Linien fahren heute nicht mehr, und
nur wenige Straßen haben die Namen behalten, die ich
aus meiner Kindheit kenne. Die Geschichte war hier so
niederwalzend und absolut – ich könnte auch sagen total
–, daß ihr Anspruch sich nicht nur auf die Seelen, sondern
auch auf die Straßennamen erstreckte. Für die *Andrássy
út*, diese von den Champs Élysées oder dem Kurfürsten-
damm inspirierte Allee, die nahe der Donau beginnt und
am Rand des Stadtwäldchens in einen großzügigen Platz
mündet, kenne ich zum Beispiel fünf Namen. Ursprünglich hieß sie lediglich: *Sugár út* (Radialstraße). Dann
wurde sie nach dem ehemaligen Ministerpräsidenten Andrássy benannt. Nach dem Zweiten Weltkrieg wurde sie
zur «Stalinstraße», während der 56er Revolution war sie
«Straße der ungarischen Jugend», um zur Zeit der Re-
stauration unter Kádár bald in «Straße der Ungarischen
Volksrepublik» umgetauft zu werden. Die Kreuzung in
ihrer Mitte, die aufgrund ihrer geometrischen Anlage den
Namen «Oktogon» erhalten hatte, wurde später «Musso-
lini-Platz» und dann «Platz des 7. November».

Doch ich will nicht in diesem seelenlosen Baedeker-Stil
fortfahren. Nur überrascht es mich eben, mit welch ge-
schäftiger Gleichgültigkeit ich heutzutage den Oktogon

überquere, wenn ich zufällig dort zu tun habe. Nicht einmal ein Hauch von Nostalgie, irgendwelcher Gedankenassoziationen regt sich in mir. Selbstverständlich bewahre ich in mir das Bild eines Budapester Platzes: jenes Oktogon, aber ich würde es genauso bewahren, wäre ich irgendwo anders, in Berlin, London oder Szolnok. Mit den einstigen Kaffeehäusern, dem «Claridge», vor allem aber dem «Savoy» und dem «Abbázia» verbanden mich lebendige und nicht ganz schmerzfreie Beziehungen; doch all das erzählt mir nur mein Gedächtnis und nicht dieser wirkliche Oktogon, auf dem ich mich nicht einmal umsehe. Der Mensch hat mehrere Leben, die sich mit entschiedenem Charakter voneinander scheiden, und das Vergangene verändert, ja verwischt zuweilen das Gegenwärtige. Es ist nicht so, daß wir unserer Stadt «entwachsen» oder, im Gegenteil, ihr «entgleiten»: eher so, daß wir auf einmal – und das überrascht uns selbst vielleicht am meisten – uns fremd in ihr umblicken, als wären wir noch niemals hiergewesen. Und beim nächsten Mal, wenn wir uns wieder bei diesem Gefühl von Fremdheit ertappen, müssen wir in stiller Resignation akzeptieren, daß wir uns nie wieder davon freimachen können. Kürzlich habe ich mit der gewissermaßen vorsätzlichen Absicht des Erinnerns eine versteckte Gasse am Fuß des Rosenhügels aufgesucht; bald aber mußte ich erkennen, daß die Gegenwart des Ortes mir keineswegs dabei half, Bilder der Erinnerung an ihn zu entwickeln, sondern mich geradezu daran hinderte. Nicht die geringste Spur nahm ich hier wahr von dem schattigen, stillen und fast vornehmen Budaer Gäßchen, in dem, seit dem letzten Vorkriegsjahr, meine Mutter mit ihrem neuen Mann gewohnt hatte. Ich mußte meinen Blick tatsächlich wegreißen von dem von einer Asphaltwüste umgürteten, mit dem Spottnamen «Hotel» bedachten Betongebilde, das die sozialistische Bauwut hierhergeträumt hatte, wenn ich versuchen wollte, das Bild jenes rätselhaften kleinen Palastes aus meiner Kindheit heraufzuholen, der dort, halb verborgen hinter dem Zaun und der reichen Vegetation des Gartens, gestanden hatte. Es war das Gebäude der damaligen türkischen Botschaft, ein berühmter Ort, an den im Frühjahr 1944 der gerade amtierende ungarische Ministerpräsident vor den deutschen Besatzern geflüchtet war, da er sich eben in eine der geheimen, allerdings aussichtslosen Separatfriedensverhandlungen mit den angelsächsischen Mächten verwickelt hatte. Als ich im entbehrungsreichen ersten Nachkriegssommer wieder in dieser Straße auftauchte, stand anstelle des neobarocken Palastes – oder war es Rokoko? – nur noch ein weniger stilvoller Haufen Ruinen, der Zaun fehlte, und in dem verwilderten Park meckerte eine an einen rasch abgeschlagenen Holzpflock gebundene, pralleutrige Ziege, die meine interessierte Annäherung mit Stoßbewegungen ihres unfreundlich gesenkten Kopfes erwiderte.

So trat mir die Geschichte entgegen, die ja früh mein kindliches Einvernehmen mit dieser Stadt zerstört hat. Auch mein Vater warb um eine Dame, die er dann später zur Frau genommen hat: doch diese Geschichte führt von Buda direkt ins Dickicht des Pester Stadtteils zurück. Eines Abends, als wir, von einer solchen Werbung nach Hause gehend, gerade den Sándor tér (heute Gutenberg-Platz) überquerten, hielt mein Vater plötzlich inne und bedeutete mir, still zu sein. Vom Ring her war unverständliches Gebrüll zu hören. Mein Vater sagte, wir könnten diesmal nicht wie gewohnt, sondern nur auf Umwegen nach Hause gehen. Fast rennend führte er mich durch dunkle Nebenstraßen, ich wußte nicht einmal, wo wir waren. Das Gebrüll blieb langsam hinter uns zurück. Mein Vater erklärte, daß im nahegelegenen Kino der deutsche Film «Jud Süß» gespielt werde und daß die aus dem Kino strömende Menge dann Juden unter den Passanten suche und Pogrome veranstalte. Gerade er, mit seinem schönen dichten schwarzen Haar und seinem ein wenig orientalischen Gesicht, hätte leicht in den Verdacht kommen können, tatsächlich das zu sein, was er war: Jude. Ich mochte damals neun Jahre alt gewesen sein und hatte das Wort «Pogrom» noch nie gehört. Ich fragte meinen Vater, was das sei. Er konnte es nicht besonders gut erklären. Vielleicht wollte er auch nicht. Doch was das Wort bedeutet, verrieten mir seine zitternden Hände, sein Verhalten. Ich begriff: aufgrund bestimmter Eigenschaften, die mir anhingen und von denen ich kaum etwas wußte, hatte ich mich vor den Leuten zu fürchten. Doch vor allem wurde meine kindliche Seele von der plötzlichen Erkenntnis getroffen, daß man mich hier offensichtlich nicht liebte.

Dennoch habe ich später zweimal bewußt Budapest zu meinem Wohnort gewählt. Wobei die erste dieser beiden Entscheidungen möglicherweise doch nicht ganz bewußt war. Besser gesagt, das noch nicht ganz sechzehnjährige Bewußtsein, das da entschied, wußte noch nicht viel von der Bedeutung seiner Entscheidung. Wie ich anderen Orts bereits beschrieben habe, bin ich vielleicht mit dem Instinkt eines fortgelaufenen Hundes hierher zurückgekehrt. Daß ich auch woanders hätte hingehen können, hatte ich nicht ernsthaft erwogen, obwohl man mich im Konzentrationslager Buchenwald, das im Spätfrühling 1945 zur vorübergehenden Notunterkunft der «displaced persons» – sagen wir: der «von ihrem Ort versetzten Personen» – geworden war, mit herrlichen Empfehlungen bombardiert hatte. Ich solle nach Schweden oder in die Schweiz gehen, wo man mich heilen, mich wiederherstellen würde, selbst an eine Universität der Vereinigten Staaten hätte ich gehen können. Man zeigte mir eine Aufnahme von Budapest im Krieg, die vielleicht aus einer amerikanischen Zeitung stammte. Auf dem Bild erkannte ich sofort den Kálvin-Platz. Ich muß hier anmerken, daß der Kálvin-Platz von vor dem Krieg dem heute so genannten Ort nicht einmal ähnelte. Dieser Platz war eine Zierde der Stadt gewesen, in seiner Mitte stand ein von einem barocken Neptun beherrschter Springbrunnen, ringsherum elegante Mietpaläste; ich kannte den Platz, der von meiner Lieblingsstraßenbahn, der Sechzehn, überquert wurde, wenn sie aus der *Kecskeméti utca* kommend in die *Baross utca* einfuhr, sehr gut. Der Fotografie zufolge lag er nun in Trümmern. Eingestürzte Häuser, abgerissene Oberleitungen, verendete Pferde. Dorthin willst du zurückgehen? fragten sie. Ja, hierher wollte ich zurückkommen und habe es, wenn auch nicht ganz ohne Schwierigkeiten, dann auch getan.

Beim zweiten Mal war ich mir über die schicksalsentscheidende Bedeutung meiner Wahl bereits völlig im klaren. Ich war siebenundzwanzig Jahre, und der 56er Aufstand war gerade niedergeschlagen worden. Jede Faser meiner Nerven sehnte sich von hier fort, doch mich hielt eine frühere Entscheidung gefangen, die über mein Leben anders bestimmt hatte. Es war nämlich in der letzten Zeit, seit zwei, drei Jahren vielleicht, etwas Seltsames mit mir geschehen: Nachdem sich die Lebenserfahrungen zweier verschiedener Schreckensherrschaften, zweierlei Totalitarismen in mir angesammelt hatten, begann aus meinem mit einer roten Mine ausgestatteten Reklame-Kugelschreiber, als wäre er eine mir in die Vene gestochene Kanüle, in Rot getauchter Text auf das Papier zu fließen. Ich hatte angefangen zu schreiben und fühlte, von dieser Tätigkeit wollte ich nicht mehr lassen. Ginge ich aber fort von hier, wo man meine Sprache spricht, dann, das wußte ich wohl, würde ich nie wieder schreiben. Es war zu spät. Sechzehnjährig hätte ich mir eine fremde Sprache vielleicht noch zu eigen machen können, mit siebenundzwanzig nicht mehr.

Also mußte ich bleiben, und einmal hiergeblieben, muß ich gestehen, daß die Komödie der auf die Niederschlagung der Revolution folgenden Jahrzehnte, diese so erstaunliche wie niederschmetternde Beobachtung und Erfahrung, mein Leben und mein Denken entscheidend geformt hat. Nicht nur geformt natürlich: offensichtlich auch deformiert. Nie habe ich aber bereut, hiergeblieben zu sein, wie wir überhaupt Prüfungen schätzen lernen, die uns zu höherer Erkenntnis verhelfen. Ich konnte an einer merkwürdigen Lebensperiode Budapests teilhaben, seinem grauen Verharren in der Wüste aussichtsloser Alltage, die man hier Sozialismus nannte, und habe, wie ich glaube, die lebendigen Wurzeln und Triebkräfte kennengelernt, die der Stadt über die Jahrzehnte in der Wüste, und zwar fast unbemerkt, hinweghalfen. Es gibt kein Buch von mir, das nicht in Wirklichkeit hiervon spräche: von dem aufgenötigten und beschämenden Prozeß des Überlebens. In jedem Buch, das ich schrieb – viele sind es nicht – erscheint ein anderes Budapest, und alle sind verschieden: hier das im Krieg stehende, dort das unter den «Verwüstungen des totalen Friedens» ächzende Budapest (um aus einer meiner Erzählungen, «Die englische Flagge», zu ziteren), ein andermal zeigt es die Fratze des im Westen so geschätzten «Gulaschkommunismus», später wieder tritt das Antlitz des postkommunistischen Budapest hervor. Und indem ich die Stadt beschrieb, erkannte ich – mich selbst.

Inzwischen ist mir bewußt, daß mich letzten Endes die Leidenschaft des Schreibens von der Stadt getrennt hat, in der ich heute noch lebe. Denn diese Leidenschaft, das Schreiben, war für mich stets nur ein Mittel, mich vom Druck der Umwelt und der Umstände zu befreien. So hat das immer neue Beschreiben Budapests mir viel eher dazu gedient, von der Stadt loszukommen, als sie zu verewigen. Mittels eines jeden neuen Werks habe ich die Stadt Stück für Stück hinter mir gelassen, ohne daß ich mich wirklich von ihr fortbewegt hätte – hätte fortbewegen können.

Nun kann ich das, und nicht nur in der Phantasie, sondern auch in der Praxis. Das ist eine große Veränderung, und ich glaube nicht, daß ihre Bedeutung meiner Aufmerksamkeit entgangen ist. In meinem jüngsten Buch – «Ich – ein anderer» – finde ich, datiert 1991, den Satz: «Man kann die Freiheit nicht am selben Ort kosten, wo man die Knechtschaft erduldet hat.» Was also suche ich immer noch hier? An das freie Budapest bindet mich mein Schicksal nicht mehr, eben weil diese Bindung durch die Freiheit – unserer beider Freiheit – aufgelöst worden ist. Ich lebe hier, doch ich könnte auch woanders leben: Mein Hiersein ist nicht länger notwendig, und das ist irritierend, so wie ein beendetes Verhältnis, das irgendwie doch nicht zu Ende gehen will. Mein Hiersein ist in geistiger Hinsicht nicht mehr gerechtfertigt, so wie es zur Zeit der Diktatur – auf paradoxe Art – gerechtfertigt war. Genauer gesagt: es geht um keinen Einsatz mehr, wenn ich hier lebe. Budapest ist nicht länger ein geistiger Schauplatz, nicht einmal mehr im Sinne negativer Inspiration; es hat einfach keine geistige Atmosphäre. Budapest ist eine Stadt ohne Gedächtnis, wo statt der vibrierenden Erregung der Selbstprüfung und resoluter Erkenntnis eher Legenden und falsche Nostalgien hervorgebracht werden. Mag sein, sie bedarf ihrer, mag sein, sie verdankt eben dieser Amnesie oder, wem der Ausdruck besser gefällt, geistigen Flexibilität ihre Lebenstüchtigkeit, ihre ewige Jugend. Diese Stadt ist stets für jede Veränderung offen: Nur daß ihre neuen Veränderungen, in einem gewissen Sinn, nicht mehr zu mir gehören, da sie mich nicht mehr mit existentiellem Wissen bereichern, nicht meine moralische Widerstandsfähigkeit auf die Probe stellen. Mit einem Wort, diese Stadt ist für mich überflüssig geworden, so wie ich selbst ein Überflüssiger darin geworden bin; mein Hiersein ist nicht das Ergebnis neuerlicher Wahl, es ist, im Gegenteil, das einer versäumten Wahl, und ich lebe nicht deshalb hier, weil ich diese Umgebung, ganz als hätte ich hier noch ungemein wichtige Leistungen zu vollbringen, als unentbehrlich empfände. Für ihre Schönheit bin ich, wie zu Kinderzeiten, auch heute noch empfänglich; die geistige Lebensform aber, die ich mir gerade gegen die Lebensform der Stadt herausgebildet habe, hindert mich ein wenig am hingebungsvollen Wohlgefallen. Ich bin ein Auswanderer, der es immer nur hinausschiebt, sich seine Reisedokumente zu beschaffen. Tatsächlich treibt nichts zur Eile. Inzwischen, wozu es leugnen, habe ich mich hier sehr schön eingerichtet. Es gibt ein Arbeitszimmer, und ein Paar blauer Augen begleitet mein Leben. Wenn man mich zu einem Geständnis nötigt, bitte, ich bekenne: Ich bin glücklich. Doch schadet es nicht, den Koffer fertigzumachen, damit er, zumindest als ständige Mahnung, im Zimmer bereitsteht.

Deutsch von Christian Polzin

Das sichtbare und das
nicht sichtbare Weimar

Um ehrlich zu sein, langweilen mich die mit Weimar verbundenen Stereotype allmählich. Geben wir zu, es ist schon ein wenig pervers, den deutschen Klassizismus und das nazistische Konzentrationslager in einem zu sehen. Andererseits aber scheint der Lauf der Zeit diese seltsame Gedankenverbindung mit zeitgemäßem Inhalt zu füllen. Die Schande ist leider ebenso unsterblich wie die Größe, und der Zusammenhang zwischen beiden ist keineswegs so weit hergeholt, wie manche uns glauben machen wollen. Für Goethe war die Bewunderung eine Quelle der Inspiration, wo aber soll der Künstler heute eine solche Quelle suchen, der statt Bewunderung nur Scham, Abscheu und Beklemmung, wenn nicht gar Negation und totale Ablehnung empfindet? Wenn er, der Künstler von heute, seine Kunst ernst nimmt, wird er gezwungen sein, die Quellen der Kreativität im Negativen, im Leiden und der Identifikation mit den Leidenden zu finden.

Ich sage mit Absicht Leidende und nicht Opfer. Man muß nicht unbedingt ein ausgeweidetes Opfer des Balkankrieges oder ein hungernder Somalier sein, um allerorts von den Wehklagen der Welt eingeholt zu werden und in ihnen die eigene Stimme zu erkennen. Heute, in einer Zeit, in der sich die gesellschaftliche und metaphysische Einsamkeit des Menschen zu vollenden scheint, gibt es den Einzelnen tatsächlich nicht mehr. Die Totalität, dieser Kunstbegriff der hohen Philosophie, auf die Propagandasprache von Goebbels heruntergekommen, ist heute zur Realität des Weltzustands geworden. Das Leiden kommt in Form des Befehls über uns, und das feierliche Protestieren dagegen: das ist heute Kunst, etwas anderes kann sie nicht sein.

Und so mag es, da ich Künstler bin, mein guter Geist gewesen sein, der mich nach Weimar geführt hat, genauer, nach Buchenwald: Schließlich scheint es doch moralischer zu sein, durch eigene Leiden klüger zu werden als durch die anderer. Doch damit er dauert, braucht der Schmerz seine Requisiten; so wie die Leidenschaft verkommt auch er ohne das lebende Objekt. Ich hatte solche Requisiten in Form von Bildern in mir bewahrt, und wenn ich sie mit der erforderlichen Intensität wachrief, entflammten sie mitunter die lebendige Empfindung.

Doch was war das wirklich für eine Empfindung? Nun, das war das Geheimnis, diesem Mysterium wollte ich nachspüren. Eines meiner Bilder zum Beispiel: Ich sitze, in eine Decke gehüllt, im Frühjahr 1945 auf dem tragbaren Abort, der vor der Krankenhausbaracke von Buchenwald aufgestellt war, ganz so wie der Herzog von Vendôme, als er den Bischof von Parma empfing. Mein Kiefer bearbeitet ein amerikanisches Kaugummi, mein Blick schweift gelangweilt umher zwischen den Typhusbaracken gegenüber und den etwas entfernteren, noch offenen Massengräbern, in denen die mit Löschkalk übergossenen Leichen wie Holzscheite liegen. Plötzlich werde ich auf eine unglaubliche Szene aufmerksam: Vom Hügel her nähert sich eine Gesellschaft von Damen und Herren. Röcke flattern im Wind. Feierliche Damenhüte, dunkle Anzüge. Hinter der Gesellschaft einige amerikanische Uniformen. Sie erreichen das Massengrab, verstummen, stellen sich langsam um das Grab herum auf. Die Herrenhüte werden einer nach dem anderen abgenommen. Taschentücher werden hervorgeholt. Ein, zwei Minuten stummer Bewegungslosigkeit. Dann kommt wieder Leben in das erstarrte Gruppenbild. Die Köpfe wenden sich den amerikanischen Offizieren zu, die Arme werden erhoben und beteuernd ausgebreitet, fallen wieder an den Körper zurück, werden von neuem erhoben. Die Köpfe werden verneinend geschüttelt. Überflüssig zu erfahren: Auf Befehl der amerikanischen Kommandanten sind prominente Weimarer Bürger ins Lager geführt worden, damit sie sähen, was dort in ihrem Namen begangen wurde. Ich verstehe das stumme Schauspiel auch so: Sie wußten gar nichts. Niemand wußte irgend etwas.

Doch was soll ich mit diesem Bild anfangen? Wenn man so will, ist es geeignet, als moralisches Urteil gefaßt zu werden. Das jedoch ist nicht die Wahrheit dieser Szene. Die Empörung ist eine Reflexion, ein gekünsteltes Gefühl also, nur dazu gut, den viel schärferen Geschmack jenes ursprünglichen Augenblicks zu löschen. Die Kunst jedoch, das begriff ich rasch, ist nicht dazu da, Menschen zu verurteilen, sondern den Augenblick neu zu erschaffen. Und in dieser Hinsicht sind die Bilder des Schmerzes gerade soviel wert wie die des wolkenlosen Glücks. Zum Beispiel: Einige Wochen später breche ich mit ein paar anderen in «die nahe Stadt» auf. Die Tatsache, daß diese Stadt Weimar hieß, bedeutete uns, wenn ich mich recht entsinne, nicht allzuviel. Scharfes Licht, die helle Sonne des Sommers. Wir trugen gestreifte Sträflingsanzüge, und an einer Straßenkreuzung hielt ein weißbehelmter amerikanischer Militärpolizist, um den Weg für uns freizumachen, den Verkehr an und salutierte, während wir an ihm vorbeizogen. Wir aßen in einem vornehmen, im Hochparterre gelegenen Restaurant zu Mittag. Man reichte ein fleischloses Menü, an die grüne Farbe der Rhabarbersoße erinnere ich mich noch heute. Wir zahlten mit irgendwelchen Zetteln, von denen der Kellner nicht sonderlich entzückt war.

Diese Augenblicke bergen unwiderrufliche und unbenennbare Erlebnisse. Könnte ich sie noch einmal erleben, so könnte ich von mir sagen, ich hätte die Zeit besiegt, ich hätte das Leben besiegt. Doch dafür ist der Mensch nicht geschaffen; allenfalls dafür, sich zu erinnern. Und die Treue und Unerschütterlichkeit seines Gedächtnisses immer wieder zu überprüfen.

Etwa 16 Jahre später kehrte ein reifer Mann in die Stadt zurück, um den Ort noch einmal zu inspizieren. Dieser Mann – ich – wußte ganz genau, was er suchte – und fand nichts davon. Weder das Restaurant noch die Straßenkreuzung. Und am wenigsten fand er sich selbst, das lebende Objekt und Subjekt des einst erlebten Augenblickes. Als Fremder schlenderte er über fremde Schauplätze, das sichtbare Weimar erwies sich nur als Hindernis für ihn. Die Stadt glich einer riesigen Bühne, zwischen deren verschobenen Kulissen er – wie in einer visuellen Falle – endgültig den Faden verlor. Er ging auf den Ettersberg, blieb auf dem Berggipfel stehen und wartete darauf, daß ihn der Anblick erschüttern, ihn überwältigen würde. Doch er bekam nichts zu sehen als einen abgeholzten Bergrücken, mit wilden Blumen bewachsen. Und er begriff in diesem Augenblick, was man gemeinhin als Vergänglichkeit bezeichnet und wie teuer ihm das war, was ihm durch sie verlorengehen könnte.

Das hat sein – mein – Leben bestimmt. Mir wurde klar, daß ich, um der eigenen Vergänglichkeit und den sich wandelnden Schauplätzen zu trotzen, mich auf mein schöpferisches Gedächtnis zu verlassen und alles neu zu erschaffen hatte. Auf der anderen Seite befreite mich diese Erkenntnis von den weiteren Metamorphosen Weimars. Zuletzt habe ich es als schmucke Kleinstadt wiedergesehen, deren grimmige Stimmung kaum meine eigene Unlust übertreffen konnte. Damals lebte ich schon zwei Monate lang als Stipendiat in der Deutschen Demokratischen Republik, dieser besonders unangenehmen Abteilung des Völkergefängnisses des sozialistischen Lagers. Das Mahnmal, das inzwischen auf dem Ettersberg errichtet worden war, vermochte ich keine Sekunde lang als Beweis aufrichtiger Erschütterung eines freien Volkes zu betrachten. Viel eher als ein Memento für das zum Gefängnisdasein verdammte Volk, einzig dazu dienend, diese Schande zu rechtfertigen. Voll Scham und ausgeplündert stand ich davor, wie jemand, der nicht einmal mehr das Recht auf den eigenen Schmerz hat, ist seine Schande doch allgemein geworden.

Jetzt sieht Weimar neuen Metamorphosen entgegen. Wer weiß, was es noch zu erwarten hat. Vielleicht wird Jean Améry recht behalten: «Länder, Sprachen, Kulturen werden einerlei. Deutschland ist unerforschlich, seit seine vielgestaltige Wirklichkeit jeder Vereinfachung nicht nur, sondern auch jeder Wesensschau spottet: Es ist nicht mehr das Land der dummen, träumerischen Seele, nicht mehr die Tiefenerde biederfeierlicher und todes-schwangerer Versunkenheit; es kennt sich selbst nicht mehr. Wer sollte es da erkennen?»

Nun, ich gewiß nicht. Denn wer weiß, welchen Meta-morphosen ich noch entgegensehe. Vielleicht verschlägt es mich noch einmal als einen zur Ruhe gekommenen Reisenden in die Stadt. Dann werde ich das Goethehaus besuchen und mich vor dem Mahnmal vom Ettersberg verneigen.

Deutsch von Krisztina Koenen

Wem gehört Auschwitz?

Die Überlebenden müssen sich damit abfinden: Auschwitz entgleitet ihren mit dem Alter immer schwächer werdenden Händen. Aber wem wird es gehören? Keine Frage: der nächsten Generation und dann den darauf folgenden – natürlich solange sie Anspruch darauf erheben.

Es ist etwas erschütternd Zweideutiges in der Eifersucht, mit der die Überlebenden auf dem alleinigen geistigen Eigentumsrecht am Holocaust bestehen. Als wäre ihnen ein einzigartiges, großes Geheimnis zugefallen. Als bewahrten sie einen unerhörten Schatz vor dem Verfall und – ganz besonders – vor mutwilliger Beschädigung. Ihn vor dem Verfall zu bewahren liegt einzig bei ihnen, der Kraft ihrer Erinnerung; doch wie sollen sie der Beschädigung, also der Aneignung durch andere, begegnen, wie der Verfälschung, den Manipulationen aller Art, und wie vor allem dem mächtigsten Gegner, der Vergänglichkeit? Ängstliche Blicke kleben an jeder Zeile von Büchern über den Holocaust, an jedem Zentimeter Film, der den Holocaust erwähnt: Ist die Darstellung glaubwürdig, die Geschichte exakt, haben wir wirklich das gesagt, es so empfunden, stand der Kübel tatsächlich dort, in genau dieser Ecke der Baracke, waren der Hunger, der Zählappell, die Selektion wirklich so, und so weiter … Doch was ist diese Versessenheit auf die peinlichen – und peinigenden – Details, statt daß wir diese schnellstens zu vergessen versuchen? Es scheint, daß mit dem Abklingen der lebendigen Empfindung das unvorstellbare Leid und die Trauer in der Qualität eines *Wertes* in einem weiterleben, an dem man nicht nur stärker als an allem anderen festhält, sondern den man auch allgemein anerkannt und angenommen wissen will.

Und hier steckt die Zweideutigkeit, von der ich eingangs sprach. Denn dafür, daß der Holocaust mit der Zeit tatsächlich Teil des europäischen – zumindest des westeuropäischen – öffentlichen Bewußtseins wurde, war der Preis zu entrichten, den Öffentlichkeit zwangsläufig fordert. Es kam sogleich zu einer Stilisierung des Holocaust, die heute schon fast unerträgliche Ausmaße annimmt. Ist doch schon das Wort «Holocaust» eine Stilisierung, eine gezierte Abstraktion der deutlich brutaler klingenden Wörter «Vernichtungslager» oder «Endlösung». Es muß vielleicht auch nicht verwundern, daß, während immer mehr über den Holocaust geredet wird, seine Realität – der Alltag der Menschenvernichtung – dem Bereich des Vorstellbaren zunehmend entgleitet. Ich selbst sah mich gezwungen, in mein «Galeerentagebuch» zu schreiben: «Das Konzentrationslager ist ausschließlich in Form von Literatur vorstellbar, als Realität nicht. (Auch nicht – und sogar dann am wenigsten –, wenn wir es erleben.)» Der Zwang zum Überleben gewöhnt uns daran, die mörderische Wirklichkeit, in der wir uns behaupten müssen, so lange wie möglich zu verfälschen, während der Zwang zum Erinnern uns verführt, eine Art Genugtuung in unsere Erinnerungen zu schmuggeln, den Balsam des

Selbstmitleids, die Selbstglorifizierung des Opfers. Und solange wir uns den lauwarmen Wellen später Solidarität (oder des Anscheins von Solidarität) überlassen, lassen wir die wirkliche und keineswegs bedenkenlos gestellte Frage, die hinter den Phrasen der offiziellen Trauerreden herauszuhören wäre, an unserem Ohr vorbeigehen: Wie soll sich die Welt von Auschwitz, von der Last des Holocaust befreien?

Ich glaube nicht, daß diese Frage ausschließlich aus unlauteren Motiven gestellt werden kann. Es ist eher eine natürliche Sehnsucht, auch die Überlebenden ersehnen ja nichts anderes. Allerdings haben mich die Jahrzehnte gelehrt, daß der einzig gangbare Weg der Befreiung durch das Erinnern führt. Doch es gibt verschiedene Weisen des Erinnerns. Der Künstler hofft darauf, daß er über die genaue Beschreibung, die ihn noch einmal die tödlichen Pfade entlangführt, schließlich zur edelsten Form der Befreiung gelangt, zur Katharsis, an der er vielleicht auch noch seinen Leser teilhaben lassen kann. Doch wie viele solcher Werke sind in den letzten Jahrzehnten entstanden? An beiden Händen könnte ich die Schriftsteller abzählen, die aus der Erfahrung des Holocaust wirklich große Literatur von Weltgeltung hervorgebracht haben. Ein Paul Celan, ein Tadeusz Borowski, ein Primo Levi, ein Jean Améry, eine Ruth Klüger, ein Claude Lanzmann oder ein Miklós Radnóti begegnet uns überaus selten.

Viel häufiger geschieht es, daß man den Holocaust seinen Verwahrern entwendet und billige Warenartikel aus ihm herstellt. Oder daß man ihn institutionalisiert, ein moralisch-politisches Ritual um ihn errichtet und einen – oft falschen – Sprachgebrauch konstituiert; Wörter werden der Öffentlichkeit aufgenötigt und lösen beim Hörer oder Leser fast automatisch den Holocaust-Reflex aus: auf jede mögliche und unmögliche Weise wird der Holocaust den Menschen entfremdet. Der Überlebende wird belehrt, wie er über das denken *muß*, was er erlebt hat, völlig unabhängig davon, ob und wie sehr dieses Denken mit seinen wirklichen Erlebnissen übereinstimmt; der authentische Zeuge ist schon bald nur im Weg, man muß ihn beiseite schieben wie ein Hindernis, und am Ende bestätigen sich die Worte Amérys: «Als die wirklich Unbelehrbaren, Unversöhnlichen, als die geschichtsfeindlichen Reaktionäre im genauen Wortverstande werden *wir* dastehen, die Opfer, und als Betriebspanne wird schließlich erscheinen, daß immerhin manche von uns überlebten.»

Ein Holocaust-Konformismus entwickelte sich, ein Holocaust-Sentimentalismus, ein Holocaust-Kanon, ein Holocaust-Tabusystem und die dazugehörige zeremonielle Sprachwelt; Holocaust-Produkte für den Holocaust-Konsumenten wurden entwickelt. Die Auschwitz-Lüge entwickelte sich. Doch es entstand auch die Figur des Auschwitz-Schwindlers. Inzwischen kennen wir einen mit Literatur- und Menschenrechtspreisen überhäuften Holocaust-Guru, der aus erster Hand von seinen im Vernichtungslager Majdanek gesammelten unbeschreiblichen Erlebnissen berichtete, die ihm als drei- oder vierjährigem Kind dort widerfahren seien, bis man feststellte, daß er zwischen 1941 und 1945 – wenn nicht im Kinderwagen oder zum Zwecke eines gesundheitsfördernden Spaziergangs – keinen Fuß vor die Tür seines bürgerlichen Schweizer Zuhauses gesetzt hat. Inzwischen leben wir inmitten von dinosaurierhaftem Spielberg-Kitsch und dem absurden Stimmengewirr aus der unfruchtbaren Diskussion um das Berliner Holocaust-Mahnmal; und man wird sehen, es kommt die Zeit, da die Berliner und natürlich die dorthin verschlagenen Fremden (mir erscheinen vor allem die Gruppen beflissener japanischer Touristen vor meinen Augen) in peripatetische Betrachtungen versunken und umbraust vom Berliner Verkehrslärm in dem mit Kinderspielplatz ausgestatteten Holocaust-Park spazierengehen, während ihnen Spielbergs 48 239 Interviewpartner ihre eigene, individuelle Leidensgeschichte in die Ohren flüstern – oder brüllen? (Denke ich darüber nach, was es auf diesem Holocaust-Spielplatz, der nach einer vor Monaten in der FAZ vorgeschlagenen Deutung ein Geschenk der ermordeten jüdischen Kinder an ihre unbekannten Berliner Kameraden wäre, für Spiele geben mag, dann kommt mir, ich kann nichts dafür, offensichtlich infolge meines in Auschwitz verdorbenen Assoziationshaushalts, sofort die Boger-Schaukel in den Sinn, dieses im Frankfurter Auschwitz-Prozeß bekannt gewordene Gerät, auf das sein Konstrukteur, der erfindungsreiche SS-Unterscharführer Boger, seine Opfer spielerisch mit dem Kopf nach unten anschnallte, um ihre derart ausgelieferten Hinterteile zum Spielzeug seines sadistischen Wahns zu machen.)

Ja, der Überlebende sieht ohnmächtig zu, wie man ihn um seine einzige Habe bringt: um die authentischen Erlebnisse. Ich weiß, viele stimmen mir nicht zu, wenn ich Spielbergs Film «Schindlers Liste» Kitsch nenne. Man sagt, Spielberg habe der Sache einen großen Dienst erwiesen, da sein Film Millionen in die Kinos lockte, darunter viele von denen, die dem Thema Holocaust sonst uninteressiert gegenüberstanden. Das mag stimmen. Doch warum soll ich als Überlebender des Holocaust und im Besitz weiterer Erfahrungen des Terrors mich darüber freuen, daß immer mehr Menschen diese Erfahrungen auf der Leinwand sehen – und zwar *verfälscht*? Es ist offenbar, daß der Amerikaner Spielberg, der übrigens in der Zeit des Krieges noch nicht auf der Welt war, keine Ahnung hat – und haben kann – von der authentischen Realität eines nazistischen Konzentrationslagers; warum quält er sich dann aber damit ab, diese ihm unbekannte Welt so auf die Leinwand zu bringen, daß sie in jedem Detail authentisch erscheine? Die wichtigste Botschaft seines Schwarzweißfilmes sehe ich in der am Ende des Films in Farbe erscheinenden siegreichen Menschenmenge; ich halte aber jede Darstellung für Kitsch, die nicht die weitreichenden ethischen Konsequenzen von Auschwitz impliziert und derzufolge der mit Großbuchstaben geschriebene MENSCH – und mit ihm das Ideal des Humanen – heil und unbeschädigt aus Auschwitz hervorgeht. Wenn es so wäre, würden wir heute nicht mehr über den Holocaust reden, oder höchstens so wie von einer fernen historischen Erinnerung, wie, sagen wir, von der Schlacht bei El-Alamein. Für Kitsch halte ich auch jede Darstellung, die unfähig – oder nicht willens – ist zu verstehen, welcher organische Zusammenhang zwischen unserer in der Zivilisation wie im Privaten deformierten Lebensweise und der Möglichkeit des Holocaust besteht; die also den Holocaust ein für allemal als etwas der menschlichen Natur Fremdes festmacht, ihn aus dem Erfahrungsbereich des Menschen hinauszudrängen versucht. Doch für Kitsch halte ich auch, wenn

Auschwitz zu einer Angelegenheit bloß zwischen Deutschen und Juden, zu etwas wie einer fatalen Unverträglichkeit zweier Kollektive degradiert wird; wenn man von der politischen und psychologischen Anatomie der modernen Totalitarismen absieht; wenn man Auschwitz nicht als Welterfahrung auffaßt, sondern auf die unmittelbar Betroffenen beschränkt. Darüber hinaus halte ich natürlich alles für Kitsch, was Kitsch ist.

Vielleicht habe ich noch nicht erwähnt, daß ich hier von Anfang an über einen Film rede, über Roberto Benignis «Das Leben ist schön». In Budapest, wo ich diese Zeilen schreibe, wurde der Film (noch?) nicht gezeigt. Und falls er später gezeigt werden sollte, wird er sicher nicht die Diskussionen auslösen, die er, wie ich höre, in Westeuropa hervorgerufen hat; hier wird anders über den Holocaust geschwiegen, anders über ihn gesprochen (wenn sich denn über ihn zu sprechen nicht vermeiden läßt) als in Westeuropa. Hier gilt der Holocaust seit dem Ende des zweiten Weltkrieges durchgängig, bis zum heutigen Tag, als ein sozusagen «heikles», durch Schutzwälle aus Tabus und Euphemismen vor dem «brutalen» Wahrheitsfindungsprozeß geschütztes Thema.

So habe ich den Film mit, man kann sagen, unschuldigem Blick angesehen (von einer Kassette). Da ich die Vorwürfe nicht kenne und die kritischen Texte nicht gelesen habe, kann ich mir ehrlich gesagt nicht gut vorstellen, was an diesem Film so umstritten sein soll. Ich glaube, da läßt sich wieder ein Chor von Holocaust-Puritanern, Holocaust-Dogmatikern, Holocaust-Usurpatoren hören: «Kann man, darf man *so* über Auschwitz reden?» Aber was heißt, genauer betrachtet, dieses *so*? Nun so, humorvoll, mit den Mitteln der Komödie – würden diejenigen wohl sagen, die den Film mit den Scheuklappen der Ideologie gesehen (genauer: nicht gesehen) und nicht ein Wort, nicht eine Szene daraus verstanden haben.

Vor allem ist ihnen entgangen, daß Benignis Idee nicht komisch, sondern tragisch ist. Zweifellos entfaltet sich die Idee, wie auch die Hauptfigur des Guido, nur sehr langsam. In den ersten zwanzig, dreißig Minuten des Films fühlen wir uns zwischen die Kulissen irgendeiner altmodischen Burleske versetzt. Erst später versteht man, wie organisch sich diese unmöglich scheinende Einführung in die Dramaturgie des Films – und des Lebens – einfügt. Während man die Slapstickeinlagen des Haupthelden nach und nach als unerträglich empfindet, tritt hinter der Maske des Clowns langsam der Zauberer hervor. Er erhebt seinen Stab, und von nun an ist jedes Wort, jeder Zentimeter Film durchgeistigt. In dem der Videokassette beigegebenen Informationsheft lese ich, daß die Macher des Films große Sorgfalt auf die Alltagswelt des Lagers, auf die Authentizität der Gegenstände, der Requisiten usw. verwendet hätten. Zum Glück ist ihnen das nicht gelungen. Die Authentizität steckt zwar in den Details, aber nicht unbedingt den gegenständlichen. Das Tor des Lagers im Film ähnelt der Haupteinfahrt des realen Lagers Birkenau ungefähr so, wie das Kriegsschiff in Fellinis «Schiff der Träume» dem realen Flaggschiff eines österreichisch-ungarischen Admirals gleicht. Hier geht es um etwas ganz anderes: der Geist, die Seele dieses Films sind authentisch, dieser Film berührt uns mit der Kraft des ältesten Zaubers, des Märchens.

Auf dem Papier sieht dieses Märchen auf den ersten

Blick ziemlich unbeholfen aus. Guido lügt seinem vier-
jährigen Sohn Giosuè vor, Auschwitz sei nur ein Spiel; es
werde nach Punkten bewertet, wie man die Schwierigkeiten übersteht, und der Sieger werde einen «echten Panzer» gewinnen. Aber hat diese Erfindung nicht eine ganz
wesentliche Entsprechung in der erlebten Wirklichkeit?
Man roch den Gestank des verbrannten Fleisches und
wollte doch nicht glauben, daß das alles wahr sein könnte.
Lieber suchte man Überlegungen, die zum Überleben
verlockten, und ein «echter Panzer» ist für ein Kind genau solch ein verführerisches Versprechen.

Es gibt im Film eine Szene, von der wahrscheinlich noch
viel die Rede sein wird. Ich denke an den Moment, in dem
der Held des Films, Guido, die Rolle des Dolmetschers
übernimmt und den Barackenbewohnern, vor allem aber
natürlich seinem Sohn, die einweisenden Befehle eines
SS-Mannes übersetzt, mit denen dieser den Häftlingen die
Lagerordnung bekanntgibt. Diese Szene faßt Inhalte, die
in rationaler Sprache nicht zu beschreiben wären, und sagt
dabei alles über die Absurdität dieser grauenhaften Welt
und die sich diesem Wahnsinn entgegenstellenden, in
ihrer Seelenkraft dennoch ungebrochenen Menschen aus.
Nirgends gibt es Gigantomanie, quälende oder sentimen-
tale Detailversessenheit, demonstrative rote Pfeile auf
grauem Grund. Alles ist so klar, einfach und unmittelbar
zu Herzen gehend, daß einem die Tränen in die Augen
steigen. Die Dramaturgie des Films funktioniert mit der
einfachen Genauigkeit guter Tragödien. Guido muß sterben, und er muß genau in dem Moment und so sterben, in
dem und wie er stirbt. Vor seinem Tod – und hier wissen
wir bereits, wie schön und kostbar ihm das Leben ist – voll-

führt er noch ein paar chaplinsche Faxen, um dem aus seinem Versteck hervorlugenden Jungen Glauben und Kraft zu geben. Es spricht für den sicheren Geschmack des Films, seinen fehlerlosen Stil, daß wir das Sterben nicht mehr sehen; aber die kurz aufkrachende Salve aus der Maschinenpistole hat wieder eine dramaturgische Funktion, sie enthält eine wichtige und niederschmetternde Botschaft. Endlich sieht der Junge den Preis des «Spiels» heranrollen: den «echten Panzer». Doch da wird die Geschichte schon von Trauer über das verdorbene Spiel beherrscht. Dieses Spiel – verstehen wir – heißt woanders Zivilisation, Menschlichkeit, Freiheit, alles, was der Mensch je als Wert ansah. Und als der Junge in den Armen der wiedergefundenen Mutter ausruft: «Wir haben gewonnen!», da kommt dieses Wort, durch die Kraft dieses Augenblicks, einem schmerzvollen Trauerpoem gleich.

Benigni, der Schöpfer dieses Films, wurde – wie ich lese – 1952 geboren. Er ist Vertreter einer neuen Generation, die mit dem Gespenst von Auschwitz ringt und die den Mut und auch die Kraft hat, ihren Anspruch auf dieses traurige Erbe anzumelden.

Deutsch von Christian Polzin

Publikationsnachweise

Rede über das Jahrhundert (*Hamburg esszé*)
Vorgetragen im Mai 1995 in der vom Hamburger Institut für Sozialforschung veranstalteten Reihe *Reden über Gewalt und Destruktivität*. Abgedruckt in «Sinn und Form» 4/1995, «Magyar Lettre International» 17/1995

Die Unvergänglichkeit der Lager (*Táborok maradandósága*)
Vorgetragen auf einer im Februar 1990 in Budapest veranstalteten Enquete zum Thema «L'univers de concentration». Abgedruckt in «Sinn und Form» 2/1993

Der Holocaust als Kultur (*A holocaust mint kultúra*)
Vorgetragen auf dem Jean-Améry-Symposium in Wien, Oktober 1992. Abgedruckt in «Sinn und Form» 4/1994

Der überflüssige Intellektuelle (*A fölöseges értelmiségi*)
Vorgetragen 1993 auf der Frühjahrstagung der Evangelischen Akademie Tutzing zum Thema «Intellektuelle in Europa – Zum Beispiel Ungarn und Deutsche». In der Originalfassung zuerst erschienen in «Magyar Lettre International» 3/1994

Ein langer, dunkler Schatten (*Hosszú, sötét árnyék*)

Vorgetragen auf einem im Oktober 1991 in Budapest veranstalteten Colloquium mit dem Titel «Ungarisch-jüdische Koexistenz»

Free Europe («*Hazai levelek*»)

Gesendet in der Reihe *Briefe aus der Heimat*, Radio Freies Europa, April 1991

Wer jetzt kein Haus hat (*Haza, otthon, ország*)

Vorgetragen in den Münchner Kammerspielen in der von der Bertelsmann Verlag AG veranstalteten Reihe *Reden über das eigene Land*, November 1996. Abgedruckt in «Sinn und Form» 1/1997

Budapest. Ein überflüssiges Bekenntnis (*Budapest – egy fölöseges vallomás*)

Erstveröffentlicht in ZEIT-Magazin, 5. 3. 1998

Das sichtbare und das nicht sichtbare Weimar (*A láható és láthatatlan Weimar*)

Erstveröffentlicht in «Merian», Hamburg 1994. Die Originalfassung erschien zuerst in «Magyar Lettre International» 14/1994

Wem gehört Auschwitz? (*Kié Auschwitz?*)

Erstveröffentlicht in DIE ZEIT, 19. 11. 1998

Imre Kertész, geboren 1929 in Budapest, wurde 1944 nach Auschwitz deportiert und 1945 in Buchenwald befreit. Seit 1953 lebt er in Budapest als freier Schriftsteller und Übersetzer. Er schrieb Romane, Erzählungen und Theaterstücke und wurde mit mehreren Preisen ausgezeichnet.

Roman eines Schicksallosen

Deutsch von
Christina Viragh
288 Seiten. Gebunden und als rororo 22576
«Ohne der Versuchung zu Superlativen nachzugeben: Kertész hat mit seinem Roman mehr als nur ein Buch geschrieben. Er hat mit sparsamsten Mitteln eine Sprache gefunden, die vieles verschweigt, aber alles sagt. Da legt einer Zeugnis ab, für den Leiden und Leben identisch sind. Im Schmerz erfährt er Wahrheit. Im Unglück ahnt er so etwas wie Glück.»
Süddeutsche Zeitung
«Ein literarisches Meisterwerk.» *Der Spiegel*

Galeerentagebuch

Deutsch von
Kristin Schwamm
320 Seiten. Gebunden und als rororo 22575

Der Holocaust als Kultur

Essays. Mit einem Vorwort des Autors
rororo 22571
Kertész wagt es als Überlebender von Auschwitz, Holocaust und Moderne, Totalitarismus und Freiheit zu Ende zu denken.

Die englische Flagge

Erzählungen
rororo 22572
Die Erzählung führt zurück ins stalinistische Ungarn der 50er Jahre und erzählt die Geschichte eines Mannes, der vergeblich versuchte, sich mit dem System zu arrangieren, um sich schließlich für Jahrzehnte in ein selbstentwortenes geistiges Leben zu flüchten. Imre Kertész' Erzählungen sind Bausteine in seinem Lebenswerk, ihr autobiographischer Hintergrund ist offenkundig.

Kaddisch für ein nicht geborenes Kind *Roman*

rororo 22574
Eine «Todesfuge in Prosa, die in ihrer ergreifenden Schönheit noch einmal das geistige Erbe des Abendlandes aufleuchten läßt, bevor es im Grauen von Auschwitz untergeht». *Neue Zürcher Zeitung*

Ich – ein anderer *Roman*

Deutsch von Ilma Rakusa
128 Seiten. Gebunden und als rororo 22573